ENA GRANDES

LOS DE MUJER

M A X I
TUSQUETS
EDITORES

«Los ojos rotos», VV.AA., *La próxima luna (Historias de horror)*, Tanagra, Barcelona, 1990; «Malena, una vida hervida», VV.AA., *Los pecados capitales,* Grijalbo (col. El Espejo de Tinta), Barcelona, 1990; «Bárbara contra la muerte», *Creación Estética y Teoría de las Artes,* n.º 3, Madrid, 1991; «Amor de madre», *El Urogallo,* n.º 102, noviembre de 1994; «El vocabulario de los balcones», *El País Semanal,* n.º 184, 28 de agosto de 1994; «Modelos de mujer», *El País Semanal,* n.º 232, 30 de julio de 1995; «La buena hija», VV.AA., *Madres e hijas,* edición de Laura Freixas, Anagrama, Barcelona, 1996.

1.ª edición en colección Andanzas: marzo de 1996
14.ª edición en colección Andanzas: febrero de 2004
1.ª edición en colección Maxi: enero de 2009

Ilustración de la cubierta: ilustración de Adam Niclewicz, acrílico sobre tabla, 20,5 x 15,24 cm. © Adam Niclewicz, 1996

Fotografía de la autora: © Iván Giménez

Diseño de la colección: FERRATERCAMPINSMORALES

Reservados todos los derechos de esta edición para
Tusquets Editores, S.A. - Cesare Cantù, 8 - 08023 Barcelona
www.tusquetseditores.com
ISBN: 978-84-8383-529-6
Depósito legal: B. 50.374-2008
Impresión y encuadernación: Liberdúplex, S.L.
Impreso en España

Indice

ande buscándola, identifica el último domicilio del poeta Manuel Machado.

Prólogo
Memorias de una niña gitana

Los primeros diez años de mi infancia transcurrieron en un piso segundo, con un pasillo inmenso y muy poca luz, de un edificio bastante corriente —una mancha roja de ladrillo visto, apenas rota por las molduras blancas que dibujaban una ceja de yeso descascarillado sobre cada balcón, completando cuatro ojos por planta—, un ejemplar típico, casi vulgar, de las construcciones que, en el siglo pasado, imprimieron carácter, y hasta personalidad, al barrio de Madrid donde ha sucedido la mayor parte de los episodios de mi vida y de mis libros. La calle Churruca, corta y estrecha, nace en la plaza de Barceló y va a morir, casi sin darse cuenta, en la calle Sagasta, al lado de la glorieta de Bilbao, que para mí siempre ha sido y será el verdadero centro de la ciudad. Muy cerca de la esquina con Apodaca, sobre la oscura fachada de otra casa corriente, una placa pequeña, excesivamente discreta para la mirada del transeúnte que no ande buscándola, identifica el último domicilio del poeta Manuel Machado.

—Pues era tan bueno como su hermano... —decía mi padre cada domingo, un instante antes de doblar la esquina, camino de la calle de Fuencarral y la casa de mi abuelo.

Mi padre es poeta, y su padre también lo era, y por eso yo empecé muy pronto a fijarme en las placas de las calles y a aprenderme poemas de memoria, pero el motivo que se escondía tras nuestra obligada visita de los domingos, una cita de puntualidad inquebrantable, pertenecía al rango de los más prosaicos. Padre e hijo se reunían ante el televisor para contemplar juntos el partido de la liga de fútbol que la primera cadena retransmitiera aquella semana, sin fijarse mucho en la calidad de los equipos que iban a enfrentarse, en su clasificación, o en cualquier otro detalle que pudiera añadir o restar interés al espectáculo. Ellos veían el fútbol, simplemente. Y todos los demás teníamos que estar callados.

La casa de mi abuelo —tan característica del paisaje de mi barrio como la de mis padres, pero mejor, más grande, casi señorial— podría haberse confundido con el escenario de muchas de las novelas madrileñas de Galdós. En la zona exterior, las habitaciones amplias, de altísimos techos, no desembocaban en pasillo alguno, sino que se abrían unas a otras para formar una pequeña red de espacio compartido —todos esos huecos ciegos que se designan airosamente como «gabinetes»— en la que era muy difícil imponer un silencio uniforme. Para lograrlo, las mujeres de mi familia, que pasaban el rato alrededor de una mesa camilla, cotilleando entre susurros, desterraban a los niños al comedor, y nos obligaban a entretenernos con la boca cerrada, unas cuartillas de papel y unos lápices de colores. En esas circunstancias comenzó mi carrera literaria.

Ahora, cuando tengo la sensación de estar empezando a dominar algunos trucos de este oficio, podría confesar que el fútbol me hizo escritora, pero será más exacto —más sincero— declarar que empecé a escribir porque nunca he sabido dibujar. Mi hermano Manuel pintaba casas y cercas, chimeneas y animales, nubes y pájaros, niños y niñas montando a caballo. Yo intentaba imitarle, pero apenas obtenía las amorfas siluetas de algo vagamente parecido a una vaca con joroba sobre las cuatro patas de una mesa sin tablero. Y me aburría. Y me ponía tan pesada como cualquier niño que se aburre. Hasta que una tarde, alguien —mi madre, mi abuela, mi tía Charo, ya no lo recuerdo bien— me ofreció una solución que resultaría definitiva. Desde entonces, todos los domingos, invertía los noventa minutos del partido en escribir *el cuento*. Porque yo sólo tenía una historia que contar, yo escribía siempre el mismo cuento.

Mi familia conserva todavía algunas versiones semanales de este relato, que siempre estaba escrito en tercera persona aunque hablaba de mí más, y más explícitamente, que ningún otro texto que haya llegado a escribir después. El argumento puede resumirse en media docena de frases. Una niña burguesa —éste era un detalle importante—, nacida en una casa auténtica —una casa «con tejado y paredes», describía yo entonces—, era apenas un bebé cuando su niñera la sacaba a pasear en su cochecito e, inexplicablemente, la perdía en un parque. Cuando la caravana de un circo que abandonaba la ciudad pasaba a su lado, una joven gitana se apiadaba del bebé perdido y lo recogía para criarlo junto al resto de sus hijos. Pasaban los años y la niña criada en el circo crecía sin sospechar su verdadero origen, hasta que, diez o doce años después, de vuelta a la misma ciudad, se perdía ella sola, tan inexplicablemente como antes la perdiera su niñera, en el mismo parque de entonces, para que una señora muy buena, muy rica y muy compasiva —que, por supuesto, era su verdadera madre— se apiadara de ella por segunda vez y la llevara a su casa, adoptándola como una hija más. Desde ese momento, la protagonista de mi cuento vivía sometida al tormento de escuchar que no era hija de su madre porque la habían recogido por caridad de unos gitanos, y por eso sus hermanos la despreciaban, y hasta los criados se burlaban de ella. Pero el verdadero amor puede abrir los párpados que el tiempo ha soldado, y así, una mañana, mirándola con ojos de cariño auténtico, la madre comprendía que la niña gitana no podía ser sino su propia hija, perdida con tanto dolor, tantos años antes, y recobrada ahora sin advertirlo siquiera. Tal descubrimiento precipitaba la historia en un final tan feliz como abrupto. La protagonista se despedía del lector dando cortes de manga a diestro y siniestro, en dirección a cada uno de los habitantes de su casa.

Los inocentes recodos de esta historia de ida y vuelta encierran el sentido de mi propio viaje hacia la escritura. Entre todas las imágenes que guardo de mi infancia, ninguna me conmueve tanto como la aplicación de esa niña muy gorda y muy morena, demasiado morena —nueve, diez, once años vividos bajo el gratuito terror de haber sido efectivamente recogida por caridad de unos gitanos—, mientras se afana en silencio sobre una gran mesa de comedor, quieta y sola en la tarea de ajustar cuentas con el mundo. Lo primero que escribí fue un cuento, y la pasión —entre el miedo y la duda, la justicia y el amor— me llevó la mano. Porque yo no quería ser la primera de la clase, no pretendía la admiración de mis familiares, no buscaba elogios, ni ventajas, ni recompensas. Yo sólo aspiraba a ser la verdadera hija de mi madre, a dormir tranquila por las noches, a enderezar el mundo, y mi destino con él, de una buena vez y para siempre. Desde entonces, escribo para vivir, y la pasión sigue llevándome la mano —con frecuencia, hasta más de lo que yo quisiera—, pero apenas he acabado una docena de cuentos en todos estos años.

Este libro reúne siete de ellos, escritos con diversos propósitos entre 1989 y 1995, aproximadamente el mismo periodo de tiempo que he necesitado para comprender que soy novelista. De hecho, la extensión de dos de los relatos que aquí aparecen —«Los ojos rotos» y «La buena hija», es decir, el primero y el último— los convierte casi en novelas cortas, y advertiré enseguida que el orden establecido en esta edición es estrictamente cronológico para que nadie identifique el número de páginas con un pecado de juventud. Lo

13

cierto es que me gusta mucho empezar a escribir cuentos, pero cuando estoy empezando a disfrutar de verdad, me doy cuenta de que mi trabajo excede ya, en cinco o seis folios, el límite requerido, y siempre los termino con cierta tristeza, como una inconcreta nostalgia por los días que ya no podré seguir viviendo en ellos. Después, sin embargo, recuerdo algunos con el cariño suficiente como para haber pensado muchas veces reunirlos en un libro, que por fin es éste.

Aunque estos relatos no han sido concebidos y escritos con la expresa voluntad de integrarlos en un libro unitario, creo que todos ellos están, de una u otra manera, íntimamente vinculados a los temas y conflictos que han inspirado mis obras anteriores, y confío en que esa condición les preste una unidad inevitable. Nunca he aspirado a conquistar un vastísimo universo literario. Al contrario, prefiero permanecer en un mundo pequeño, personal, cuyas fronteras vienen a coincidir con los precisos límites de mi memoria, y dirigir mi mirada a rincones tan conocidos que nunca terminan de sorprenderme. Así, tanto en «Los ojos rotos» (1989) como en «El vocabulario de los balcones» (1994), y hasta, de alguna manera, en «Modelos de mujer» (1995) y «Malena, una vida hervida» (1990), la mirada del amante modifica y determina la imagen que el ser amado obtiene de sí mismo, el tema que gobierna *La edades de Lulú* para reaparecer después en mis otras novelas. Esta Malena primeriza conoce la tremenda pérdida de un amor adolescente, definitivo, más o menos a la misma edad que la protagonista de

Malena es un nombre de tango, y al igual que esta última, la narradora de «Bárbara contra la muerte» (1991) aprende una verdad esencial de labios de su abuelo, en el que presiente a todos los hombres que habitarán su propia vida. «El vocabulario de los balcones», en cambio, comparte mi barrio, y su espíritu, con *Te llamaré Viernes.*

«Amor de madre» (1994) es un cuento de origen atípico que surgió durante un almuerzo en una cervecería del centro de Viena, en diciembre de 1993. Cuando algún comensal llamó la atención de los demás —entre los que estaban Luis Mateo Díez, José María Merino, Clara Sánchez, Eloy Tizón y nuestro anfitrión austriaco, Georg Pichler— sobre un posavasos de cartón decorado con una fotografía verdaderamente pintoresca, Encarna Castejón, directora de *El Urogallo,* nos animó a escribir un breve texto sobre aquella imagen, con la intención de publicarlo, junto con el posavasos, en su revista. Por mi parte, el resultado fue este pequeño esperpento, que está más vinculado de lo que parece a otro relato de tono vertiginosamente distinto, «La buena hija» (1995). La áspera indiferencia que puede llegar a instalarse entre una madre y una hija, apuntada en *Las edades de Lulú,* contribuye decisivamente a construir el mundo de *Malena es un nombre de tango.* A su vez, en «La buena hija» se contraponen las figuras de dos mujeres opuestas que rivalizan entre sí, al igual que en «Modelos de mujer», el relato que presta su título al libro.

El motivo que me indujo a escoger este último

no va más allá del carácter genérico, y aun más, tipológico, de una expresión que construí, en principio, como un simple juego de palabras. Pero como en el mundo literario prevalece un principio de discriminación sexual que obliga a las escritoras a pronunciarse a cada paso acerca del género de los personajes de sus libros, mientras que los escritores se ven privilegiada y envidiablemente libres de hacerlo, me gustaría aclarar, de una vez por todas, que —al igual que no reconozco un literatura de autores madrileños, una literatura de autores altos o una literatura de autores con el pelo negro, categorías que, de momento, nunca me han amenazado, a pesar de que una madrileña alta y morena puede llegar a tener una visión del mundo muy distinta a la que se haya construido, por ejemplo, una sevillana bajita y rubia— creo que no existe en absoluto ninguna clase de literatura femenina, y, precisamente por eso, todas las protagonistas de estos cuentos son mujeres.

Si me parece intolerable la tendencia de una buena parte de las mujeres que escriben a instalarse en una especie de *menoridad* pretendidamente congénita —géneros menores, argumentos menores, personajes de rango menor, ambiciones menores—, mucho más desolador resulta comprobar cómo, de un tiempo a esta parte, cuando cierto tipo de escritoras se propone hacer «gran literatura de todos los tiempos» —el entrecomillado pretende sugerir lo estúpido de tal propósito formulado *a priori*—, escogen sistemáticamente un protagonista masculino, como si el género del personaje pudiera determinar la universalidad de la obra cuando la autora es una mujer, o como si escribir desde un punto de vista femenino fuera sospechoso de por sí. En mi opinión, este tipo de actitudes son las que justifican la división de la literatura en dos géneros que, lamentablemente, no son el masculino y el femenino —lo que, en definitiva, vendría a resultar una tontería inofensiva—, sino la literatura, a secas, y la literatura femenina. Yo, desde luego, creo que las comillas sólo pueden colocarlas los lectores, y procuro escribir desde mi memoria, que contempla mi género tanto como mis terrores infantiles, la aversión que me inspiran las coles de Bruselas y una incontrolable multitud de cosas más. Y apenas consigo perdonarme la dosis de pusilanimidad que encierra mi segunda novela —en la que escogí deliberadamente un punto de vista masculino sólo para demostrar que mi vocación literaria era firme—, cuando recuerdo el monstruoso esfuerzo que me exigió escribirla. Estoy segura de que la próxima vez que elija escribir desde la voz de un hombre tendré mejores motivos para hacerlo.

Quizá pase mucho tiempo antes de que publique otro libro de cuentos. Este salda mi deuda con una niña enferma de identidad que ya no está sola mientras se aplica afanosamente sobre una gran mesa de comedor, sin sospechar siquiera que jamás terminará de arreglar cuentas con el mundo.

Los ojos rotos
(Historia de aparecidos)

—¡Vamos, Miguela, deja ya ese espejo de una vez, que hoy tengo mucha ropa que planchar! ¿No quieres ayudarme a planchar las camisas?

—No irá...

—No te estoy hablando a ti, lista, que me tienes harta, que acabas de llegar y ya lo sabes todo, qué barbaridad...

—No quiere ir. Tendrás que doblarte las camisas tú solita, rica, y a ver si dejas de hablarme en ese tono, que yo soy una clienta de pago, ¿te enteras?, de pago, una señora, eso es lo que soy yo, y no pienso consentir que me trates como si fuera una fregona, igual que tú, que tú estás aquí para limpiarme el culo si a mí me da la gana, a ver si te enteras de una vez, que para eso pago yo mi dinero todos los meses, y no como esta pobre desgraciada, que bien se ve que la tienen recogida de caridad y así aprovechas tú para explotarla, que eso es lo que haces, la explotas, la tienes todo el día planchando, pobrecita, porque no tiene juicio.

—Cállate ya, Queti...

—No me callo porque no me da la gana.

21

—¡Esto se llama terapia ocupacional! ¿Lo oyes? ¡Ocupacional! Y no te pienso aguantar ni un minuto más en este plan.

—¡Ay qué miedo! Mira cómo tiemblo...

—¡Señorita Rosalía!

—Eres una chivata, Gregoria.

—¡Señorita, venga usted aquí un momentito, por favor!

—Una chivata y una asquerosa.

—Buenos días, Queti, Miguela... ¿Qué ocurre, Gregoria?

—Mire usted, señorita Rosalía, es que...

—Doctora Aguilera.

—Muy bien, señorita doctora, escúcheme un momentito, es que esta loca de la Queti...

—¡Gregoria!

—Si es que ya no la aguanto más...

—¡Venga usted conmigo ahora mismo, Gregoria!

—¿Has visto, Migue? Se la lleva al rincón, a echarle una bronca, se lo tiene muy bien empleado, la asquerosa esa, por llamarme loca, porque yo pago, ¿comprendes, Miguela?, y por eso a mí no pueden llamarme ni loca ni nada, y a ti, en cambio, sí te pueden decir que eres mongólica, por el dinero, ¿lo entiendes? Nada, que no me hace ni caso, la tonta esta... ¡Deja ya ese espejo, jolín, por muy guapa que te veas, que lo vas a desgastar!

—Mire, Gregoria, se lo he advertido ya un montón de veces. Esa mujer es una enferma, y a los enfermos hay que tratarlos con respeto.

—Sí, señorita.

—Sí, doctora. Y ésta es la última vez que se lo digo. Si no es capaz de comportarse correctamente con ella de ahora en adelante, me veré obligada a prescindir de sus servicios. Bastantes problemas tenemos ya con las reformas del edificio y la adaptación de los mayores, no me cree más quebraderos de cabeza, se lo pido por favor.

—Sí, señorita.

—Sí, doctora.

—Eso, doctora.

—Muchas gracias. Le quiero presentar al doctor Salgado, mi nuevo ayudante, le estaba enseñando el centro... Fernando, ésta es Gregoria, una de las auxiliares. Se ocupa del oficio y echa una mano en la cocina cuando hace falta. Bueno, la verdad es que hace un poco de todo, como los demás... No es que nos sobre personal, precisamente.

—A ver, los manicomios...

—Esto no es un manicomio, Gregoria. Es un centro de salud mental.

—Claro, señorita. ¿Cómo está usted, doctor?

—Encantado de conocerla.

—Muy bien. Y ahora... ¿me quiere contar lo que ha pasado?

—Es Miguela, señorita, que me tiene muy preocupada últimamente. No sé si será porque la Queti esa se le ha pegado como una lapa y anda todo el día con ella, pero el caso es que la Migue está muy rara. Sólo se mueve de ese rincón para ir al comedor, no quiere salir al jardín ni ayudarme a doblar las camisas, y fíjese cómo le gustaba hacerlo desde que conseguí enseñarla, allí, en el centro de Vicálvaro, que las dejaba todas iguales, perfectas, perfectas... Igual es que le ha sentado mal venirse a la sierra después de todo, pero el caso es que no hace más que mirarse en el espejo, casi desde que llegamos. En cuanto que se levanta, va a sentarse ahí, en el suelo, y se mira en el espejo. Nada más.

—¿Está deprimida?

—No señorita, qué va... Todo lo contrario, eso es lo más raro, que parece muy contenta, sonríe todo el tiempo y se llama guapa a sí misma, se lo dice bajito, sin parar, guapa, guapa, Migue guapa, yo ya no sé qué hacer con ella, la verdad.

—¿La tenéis ingresada desde hace mucho tiempo?

—Unos... cinco o seis años, ¿no, Gregoria?

—Sí, señorita.

—¿Problemas?

—No, ninguno, que yo recuerde. Es una enferma muy dócil. Síndrome de Down con las habituales complicaciones respiratorias, y treinta y ocho años, nada más.

—Muy mayor, ¿no?

—Sí, pobrecilla. Miguela Uncidos Gómez. Su madre la tuvo consigo mientras vivió, era viuda de un empleado de la RENFE, tenía una buena pensión y a Migue nunca le faltó de nada, la crió como si fuera una niña normal, era hija única. Nos la trajeron cuando se quedó huérfana. Tiene buen carácter, muy cariñosa... Su única manía consiste en salir a dar un paseo después de cenar. Por lo visto, en el pueblo veía salir a sus primas todas las noches, y le daba mucha rabia no poder hacer lo mismo que ellas, así que su madre la acostumbró a cenar a las seis de la tarde y luego la dejaba estar un ratito en la calle. Nosotros hacemos lo mismo. Cena a la hora en que los demás meriendan y luego sale al jardín. Se la puede dejar sola, tiene la edad mental de una cría de siete u ocho años...

—¿Y la otra?

—¿Queti? Esa ya es harina de otro costal. María Enriqueta Martínez de Mandojana, de las mejores familias de Vitoria, una menopausia atroz, cincuenta y siete años, casada, con seis hijos, uno de ellos heroinómano, murió de sobredosis hace quince meses. Fue entonces cuando la ingresaron, ella dice que fue su marido quien lo mató...

—¿Delirante?

—Sí. Un cuadro clásico.

A mí me van a venir con ésas a estas alturas, a mí, a la hija de mi madre, María Enriqueta Martínez de Mandojana y Velarde, yo misma, que me he criado con media docena de doncellas en un piso grandísimo, en plena calle Dato, que ya no sabíamos ni dónde poner la plata, que nos faltaban muebles para guardarla, de tantísima que teníamos... Y es que mi padre era juez, don Juan, así le llamaba todo el mundo, y yo su ojito derecho, que daba gusto salir con él a la calle, todos nos saludaban, claro, les daba miedo, como tenía tanto mando... ¡Pobre papá! Ya me lo advirtió él, bien clarito, no te cases con tu novio, que ése va a por tu dinero, que es un piernas, y qué razón tenía, hay que ver, pero era tan guapo, Antonio, tenía tan buena planta... ¡Cabrón! Bien que me preguntabas tú por lo de Salvatierra cuando éramos novios, todavía me acuerdo... Y dime, Queti, ¿es verdad que tu madre es la dueña de la mitad del pueblo? Y yo te lo contaba todo, cabrón, que eres un cabrón, y así me ha lucido el pelo, que me has robado todo mi dinero, me lo has quitado todo, y ahora vas por ahí diciendo que mamá sólo tenía un par de viñas y que las vendiste con mi consentimiento, y eso es mentira, ¿me oyes? ¡Mentira podrida! Yo, que me crié como una reina, con enaguas almidonadas, en mi casa cambiaban las sábanas todos los días, pero qué sabrás tú de eso, desgraciado, si tú serás siempre un muerto de hambre, con todo lo que me has robado, un muerto de hambre, que ya encontrarás a alguna que te saque el dinero y te deje tirado, que eso es lo que te mereces... Una princesa era yo, una auténtica princesa, que no sé ni por qué me fijé en ti, con la cantidad de pretendientes que yo tenía, militares, alcaldes, millonarios, y hasta un rey, que

26

eso no te lo he contado a ti nunca, un rey raro, de uno de esos países pequeñitos de por donde Rusia, un rey que vino a Vitoria por negocios y se enamoró de mí, y me escribía, y eso dejé por ti, pedazo de cerdo, un trono nada menos, y ahora me has encerrado en este manicomio, y dices que estoy loca porque sé la verdad, porque yo sé que fuiste tú quien enseñó a Rafa cómo pincharse, que te pillé una noche con la jeringa en la mano, al lado de su cama, envenenando a mi niño, mi niño, que era tan rubio y tan guapo, tan pequeño... ¡Y tú lo mataste, asesino, tú me lo mataste! Tenemos un hijo drogadicto, Queti, hay que hacerse a la idea y seguir viviendo, decías, tienes que seguir viviendo, aunque sólo sea por los otros cinco... ¡Dios mío! El me quería, mi niño pequeño, me quería, luego se quedó como tonto, me lo fuiste dejando sin fuerzas poco a poco, él no te hubiera consentido que me encerraras aquí, por eso lo quitaste de en medio, y luego convenciste a los demás, Antoñito, que es igual que tú, y las niñas, mis propias hijas, menuda jaula de fieras... Tienes que curarte, mamá, es un sitio muy bonito, mamá, allí estarás mejor que aquí, mamá, iremos a verte, mamá... ¡Dios mío! Ahora ni siquiera conozco a mi nieta, ¿y sabes lo que te digo?, pues que me da igual, que bastante tengo con haber parido a su madre. En realidad estoy mejor aquí, ¿me oyes?, mejor aquí, en un manicomio, que allí, en casa, donde todos queréis que me muera, porque sé que lo estáis deseando, os he oído cuchichear entre vosotros, estáis todo el santo día deseandito que yo me muera, pero no me pienso morir, no me da la gana de morirme, a pesar de los disgustos que me da la Gregoria esa, que es una burra y una mala persona, yo no me pienso morir, yo me voy a quedar aquí, viviendo como una reina, que para eso pago mi dinero, con Miguela, que es la única persona que me quiere en este mundo, Migue, mongólica y todo, pero me quiere, hay que ver, parir seis hijos y acabar así, que cada vez que me da un beso por las mañanas se me saltan las lágrimas y me quedo temblona. Rafa también me besaba, en cuanto que se levantaba venía y me besaba, mi niño, y será la emoción, o yo qué sé, pero me ponen la carne de gallina, los besos de Migue, y por eso yo no se lo diré a nadie, nunca, ya sabe ella que conmigo puede estar tranquila, esas cosas tan raras que le pasan, pero yo chitón, ¡mucho ojo!, que soy una señora, yo, y ya me he dado cuenta de que ella no quiere que nadie lo sepa, que se pega el espejo a la nariz cada vez que pasa alguien para que nadie la vea, para que nadie la moleste, y sólo lo sé yo, que se mira en el espejo y ve a otra mujer, una mujer normal y hasta guapa, lo que son las cosas, que es ella misma, pero con los ojos redondos y grandes como dos platos...

—Venga, Fernando, vámonos a tomar una caña...
—Espera, que voy a por las llaves del coche.
—No, no hace falta. Vamos andando, mejor. El

pueblo está muy cerca, ya verás. Estos paseos son lo único agradable que tenemos aquí...

—Bah, mujer, no digas esas cosas, que no será para tanto.

—No, qué va... Si es que tú acabas de llegar.

—¿Y todo eso que contabas en Madrid? Aire libre para los enfermos, más espacio, menos gastos... Todo eso sigue en pie, ¿no?

—Pues no. Porque a mí me prometieron una casa, no una ruina. Y un jardín, no un erial. Y talleres, no dos pajares sin acondicionar. No hace ni tres meses que les cedimos el centro de Vicálvaro, y ahora ya se hacen los suecos, por supuesto. No hay dinero, Rosa, eso es lo que me dice el delegado todas las semanas, de momento no hay dinero... Y les llama locos, a mis pacientes, ¿te lo puedes creer? Tus locos tendrán que esperar un poco más, eso me dice. Mira, si no fuera por mi padre y por mi hermano, que se están forrando en la privada a base de recetar aspirinas a los yonquis de buena familia, y tienen que tranquilizarse las conciencias de vez en cuando, no tendríamos ni tejado, ¿me oyes?, ni tejado. Ya no me dan un crédito en ningún banco, Fernando, estoy en todas las listas negras, ni cien, ni cincuenta mil pesetas, nada. Y nadie dona dinero para los locos, porque no es rentable, no queda mono en la televisión, no sé... Todo esto es una mierda, tú también te irás dando cuenta, pero eso sí, ¿ves?, la Maliciosa ya está nevada, mírala... Siempre igual, desde el principio, hielo en invierno y deshielo en primavera, por muchas vueltas que dé el

29

mundo. Si no fuera por ella, que jamás pierde la serenidad, habría acabado volviéndome un poco loca yo también.

—Conoces bien todo esto, ¿verdad?

—Sí. He veraneado en este pueblo toda mi vida.

—Y el centro... ¿qué era antes? Por la fachada, parece como una casa solariega.

—La Casa Quemada la llaman. Al tío que la construyó le hubiera encantado oírte, porque se dice que lo que él pretendió al levantarla fue precisamente eso, hacerse con una casa solariega. Pero aquí nunca ha habido hidalgos, sólo pastores con una manada de ovejas, un par de vacas, y prados para pasto, las parcelas que vendieron en los años sesenta para que los señoritos de Madrid se construyeran chalets suizos con piscina y pista de tenis, en fin, ya sabes... El caso es que el individuo aquel era un indiano. Emigró a México, se hizo inmensamente rico y se volvió cuando la Revolución. Por lo visto, él contaba que fue Emiliano Zapata en persona quien le echó de sus tierras, ¡muerte a los gachupines!, juraba que le había gritado en sus propias narices, vete a saber, mi madre llegó a conocerlo, de niña... Construyó la casa y se instaló aquí con su familia, pero el hijo pequeño, que ya estaba muy enfermo, murió al poco tiempo de tuberculosis, y su madre le cogió manía a todo esto, porque si habían venido aquí, al fin y al cabo, era porque esperaban que el aire de la sierra lo curara. Total, que cuando la hija mayor se casó, creo que con un notario, y se fue a vivir a Madrid, todos se mudaron allí y nunca volvieron. Durante algunos años, la casa estuvo cerrada, abandonada, pero una noche, no estoy segura de la fecha, a principios de los años cuarenta debió de ser, se organizó un incendio espantoso y ardió todo, las cortinas, las alfombras, los muebles, todo. Nunca se supo cómo prendió el fuego, pero la gente cree que por aquel entonces los maquis del Guadarrama usaban la casa de vez en cuando, en invierno. La verdad es que no me extrañaría, estando tan apartada, y al pie del monte, debió de ser un refugio cómodo y seguro para ellos. Los viejos cuentan todavía que en las noches de helada los guerrilleros bajaban de la sierra a dormir aquí, y aquí curaban a los heridos. El caso es que aquella madrugada, cuando en el pueblo dieron la alarma, el incendio ya casi se había apagado solo, ya había ardido todo lo que podía arder... Los herederos cedieron entonces la propiedad al Ayuntamiento, que arregló el edificio pero nunca encontró una manera de usarlo. De ahí pasó a la Comunidad, y por no sé qué convenio, un buen día me lo encontré en una lista de recursos disponibles, y lo solicité, pero todo el mundo lo sigue llamando la Casa Quemada, y yo no le pienso cambiar el nombre. Por lo menos, eso es bonito...

—Este es un sitio muy bonito, Rosa. Y la casa es de piedra, grande y luminosa, está bien construida, todo saldrá bien al final, no te preocupes. ¡Eh!, mírame, te lo estoy diciendo en serio, todo va a salir bien, seguro.

—¡Si por lo menos pudiéramos drenar el jardín antes de que vuelvan las lluvias! No sabes cómo se puso todo en octubre. Acabábamos de llegar y nos encontramos aquello convertido en un barrizal, no podíamos sacar a los enfermos a pasear. Miguela, la del espejo, esa que has conocido hoy, se nos escapó y volvió hecha una croqueta, rebozada en barro de arriba abajo, la pobre, tiritando de frío... Me da pereza hasta pensar en ello, pero la verdad es que tendríamos que hacer algo o la primavera se nos echará encima sin que nos demos cuenta.

—Oye... ¿y si echáramos encima del jardín una capa de cemento con un buen sistema de desagüe? Al fin y al cabo el terreno está pelado, no hay ni un solo árbol, y la casa no deja de estar en la ladera del monte. Cuando hiciera buen tiempo podríamos sacar a los pacientes a triscar por allí, para que pisen tierra y recojan flores, no hay ningún peligro, y con el patio se acabaron para siempre los barros. Miguela podría salir después de cenar hasta en los días de lluvia, unas botas, un buen chubasquero, y andando.

—Pues... ¿sabes lo que te digo? Que es una buena idea... Sí señor, una excelente idea... Pero haría falta meter una pala, ¿no?, quiero decir, remover la tierra y todo eso.

—Sí, claro.

—Ese es el problema, que no sé de dónde vamos a sacar el dinero para la pala, y luego pagar a los obreros, la hormigonera y todo lo demás.

—Le podemos sacar pelas al Ayuntamiento.

—¿A los de aquí? ¡Estás tú listo! No sabes la que organizaron cuando nos vinimos; hicieron una manifestación en Colmenar y todo, parecía que íbamos a instalar un cementerio nuclear en la plaza del pueblo...

—Bueno, pues ya se lo sacaremos a tu padre, o al mío, y si no, lo pondremos nosotros de la extra de Navidad, no es tan caro, en serio, pero no sufras más, Rosa, por Dios, alegra esa cara... He tenido una buena idea, y eso no me pasa más que dos o tres veces al año, así que vamos a emborracharnos para celebrarlo, yo pago.

¿De dónde habrá sacado las uñas esa criatura para arañarme así? Debería enseñárselo a la doctora aunque sólo fuera para chinchar a Gregoria, ella que anda siempre presumiendo de tenernos tan limpias, y tan curiositas, que va diciendo por los pasillos que no la dejamos ni un segundo libre para sus cosas, que ya ves, ya me gustaría a mí saber qué cosas tendrá que hacer ésa, pero sí, sí, tan aseaditas, y a Migue no le cortaba las uñas desde vete a saber cuándo, no te digo, menudo arañazo me ha hecho, si me da dentera a mí misma sólo con tocármelo... Menos mal que si me pongo el jersey de cuello alto no se me nota, aunque total, no sé ni para qué me preocupo, porque no es ya que tenga mal tipo, es que ya ni siquiera tengo tipo, que miro para abajo cuando estoy de pie y no me veo los pies, sólo la barriga, esta panza de vaca

33

vieja que me ha crecido de repente, yo, que nunca había tenido tripa... Y todo lo demás, en cambio, ha desaparecido, hay que fastidiarse, yo no lo entiendo, por más que me repitan lo de las hormonas esas que nunca me acuerdo de cómo se llaman, es que se me ha puesto el cuerpo igual que un botijo, que ya no tengo cintura, ni muslos, ni caderas, nada, si parezco una morcilla poco hecha, lo mismo... O sea, que un arañazo más o menos en el escote, igual me da, si estoy hecha un asco, y aunque no lo estuviera, ¿quién me iba a mirar a mí? Pues nadie, así que... Pero, ¡mira la mosquita muerta, en cambio, tócate las narices! ¿De dónde se habrá sacado ese galán? Y anda que no es feo el tío, Dios de mi vida, si parece mismamente un mono, con las dos cejas tan juntas que parecen una sola, y ese pelo tan rizado y ralo, ralo, que se le ven hasta calvas chiquititas encima del cogote, como si estuviera tiñoso... No lo entiendo. De aquí no es, desde luego, yo no le he visto nunca y Salvador, que hoy estaba sobrio, me ha dicho que no ha ingresado ninguno nuevo, así que... Y además, ¡qué raro iba vestido! Ya no me acuerdo de cuánto tiempo hace que no veía yo una de esas mantas tan bastas que parecen de arpillera, como la que llevaba enrollada encima del hombro. Debe de ser un guardia forestal de esos pinares que se ven a lo lejos, seguro, hasta hoy no había visto ninguno todavía, pero debe de haberlos, claro, como en Estíbaliz, y por eso llevaba la escopeta, y esa tartera de aluminio colgada del cinturón... Pues deberían despedirle, por guarro, porque, ¡qué horror!, bueno está que viva en el monte, pero se podía lavar de vez en cuando, vamos, digo yo, porque es que había que verle, la cara llena de tiznones negros, como un carbonero, con la costra esa que tenía en la frente, que no se había limpiado la sangre, toda reseca seguía allí, alrededor de la herida, y la pierna igual, envuelta con unas vendas grises ya de puro sucias, liadas de cualquier manera y estampadas de manchas amarillas, como de pus, ¡qué asco! ¿Y qué le habrá pasado para venir así? Lo mismo se acababa de caer en una trampa para osos, o vete a saber, cualquier bicho grande... No digo yo que, herido y todo como estaba, se preocupara mucho por ponerse guapo, pero se puede esperar un mínimo de urbanidad de alguien que está de visita en una casa, ¿no? Lo que no entiendo es por qué estaba con Migue, porque si había venido a que le curaran, más lógico sería que hubiera ido derecho a la enfermería... Pero es que todo ha sido raro, muy raro, porque yo no le he visto al principio, cuando he pasado por delante de la puerta para ir al baño, no le he visto. Migue estaba sola, con el espejo caído sobre la bata y su cara de imbécil, mirando al techo. No lo entiendo. ¿Cómo se las habrá arreglado para entrar? Yo, desde luego, no he oído la puerta, pero despúes, cuando he vuelto a pasar, ahí estaba ya, sentado en el alféizar, mirándola, y ella le hablaba todo el tiempo, bajito. Eso es lo que me ha sorprendido, porque a Migue no le gusta hablar, sonreír sí, y escuchar cuentos, pero está casi siempre callada, por eso me

35

he acercado, por eso y porque me ha dado la sensación, no sé, de que así, vista de perfil... Ya sé que lo que estoy diciendo no puede ser, lo sé, pero es que, en ese momento, lo que son las cosas, me ha parecido que Migue no era Migue, no, porque entonces era la mujer del espejo, que es ella pero distinta, con los párpados flojos y los ojos redondos, como yo, como todo el mundo... Por eso me he acercado, no mucho, procurando no hacer ruido, yo ya sé que los milagros son una sarta de mentiras que se inventa el Papa, lo sé, pero quería verla, quería ver a Migue normal, siquiera una vez, es que la quiero mucho, pobrecilla, por eso me he acercado sólo un poco, de puntillas, pero él me ha visto, me ha mirado, y entonces ella se ha dado la vuelta hacía mí, tocándose con los dedos los extremos de los párpados, y estaba guapa, y yo ya sé que eso es imposible, pero es que estaba guapísima, tenía las mejillas sonrosadas y esos ojos inmensos, la boca abierta, le brillaban los labios, pero entonces, de repente, la piel se le ha empezado a estirar, despacito al principio, luego más deprisa, hasta cambiarle la cara otra vez, yo he mirado un momento hacia el suelo porque no me podía creer lo que estaba viendo, todo pasaba muy rápido y como de mentira, igual que en las películas del Spielberg ese, y cuando la he vuelto a mirar, pues claro, pues ya estaba normal, la Migue de siempre, pero él había desaparecido... Ha debido saltar por la ventana. Eso ha debido pasar, claro que yo no le he visto, con el susto que me ha dado la otra, es lógico que yo ya no le mirara, ¿no? ¡Pero hay que ver qué mala leche le ha entrado a Migue cuando se ha dado cuenta de que él se había ido, qué barbaridad, qué bestia! Ha sido entonces cuando se me ha tirado encima, con las uñas por delante, como una alimaña, dando chillidos que en realidad no eran chillidos, sino quejidos, gritos que no significaban nada, como un solo ay muy largo y muy desesperado que le saliera de algún sitio extraño, de muy dentro del cuerpo. Entonces me ha arañado, y me ha dado un cabezazo, y luego se ha quedado quieta, más tranquila, y ha empezado a llorar. La he seguido hasta su rincón porque ha llegado a darme miedo, me ha impresionado mucho y, de repente, he pensado que podía hacer alguna locura, no sé, estaba fuera de sí, ella es obediente, y tan buena, jamás ha pegado a nadie, yo nunca la había visto tan furiosa, pero no, pobre Migue, si no ha hecho nada malo, total, se ha sentado en el suelo, ha cogido el espejo y ha empezado a mirarse todo el rato, sin parar, como hace siempre, acariciándose los pliegues de los párpados mientras veía en el espejo otros ojos, sus otros ojos redondos, su otra cara de mujer normal. Y yo sé que estas cosas que le pasan son muy raras, yo lo sé, y todavía no entiendo cómo se ha colado aquí el tío ese, no sé quién es, ni cómo se las arregla para hacer un milagro de esos que no existen, pero yo, por si acaso, me voy a poner el jersey de cuello alto para ir a cenar, no vaya a ser que me vean el arañazo y tenga que dar explicaciones, que no, que yo no he visto nada ni sé nada, porque si cuento la verdad se van a creer que estoy loca, y eso es lo que a ti te gustaría, ¿no? ¿Es que no me oyes? ¡A ti te estoy hablando, pedazo de cabrón, que eso es lo que tú estás esperando, que para eso me has metido aquí, para que le digan al juez que estoy loca, y después robarme todo mi dinero y dejar a mi niño en la calle! Eso es lo que quieres, ¿verdad? Pues no, entérate de una vez, que no te vas a salir con la tuya, porque yo no voy a decir nada, y cuando a Rafa le curen esos bultitos tan duros que le han salido encima de las venas de los brazos, él vendrá a buscarme, me sacará de aquí, y nos iremos juntos a Salvatierra, a gastarnos el dinero de mamá en el palacio de un rey raro que me quiere, y que se casará conmigo cuando vuelvan a salirme tetas, en un país pequeñito, allá de por donde Rusia...

—¿Qué tienes ahí escondido, Miguela?

—Deja en paz a la chica, que estás siempre igual. ¿Qué te importa a ti lo que ella tenga o deje de tener?

—Déjame ver eso, Miguela, sea lo que sea, y tú, Queti, cállate de una vez, hazme el favor.

—¡Anda, pero qué fina se ha vuelto la señorita Gregoria! Pues no te creas que me impresionas por pedirme las cosas por favor, que no me pienso callar ni aunque me lo pidas de rodillas. Y tú no hagas caso, Migue, que aunque seas subnormal, también tienes derecho a tus cosas y a tu vida privada, pues no faltaría más...

—¡Vete a la mierda, Queti!

—¡Ja! Ya le salió la esencia, aquí, a su Ilustrísima...

—Dame eso, Migue. He visto que tiene punta, y sabes de sobra que no puedes tener nada puntiagudo porque te puedes hacer daño.

—No.

—¿Qué has dicho?

—Que no te lo doy. Es mío.

—¡Muy buena contestación, Migue, así se habla!

—Mira, Miguela, me vas a dar ahora mismo lo que tienes en las manos por las buenas, o te lo voy a tener que quitar por las malas. ¿Qué dices?

—No te lo doy.

—Muy bien, tú lo has querido. ¡Serafín! Corre, ve a buscar a la señorita Rosalía y al doctor ahora mismo...

—¡Bravo, Gregoria! ¿Has visto, Migue? Sigue siendo tan asquerosa como siempre, pero ahora ya ni siquiera se molesta en ir a chivarse en persona, ahora manda a un celador, no vaya a ser que se canse, de aquí al despacho, la vaga de ella...

—Escúchame, Queti, como vuelvas a insultarme...

—¿Qué? ¿Te vas a chivar de mí también?

—No te lo voy a decir más veces, pero como vuelvas a insultarme...

—¿Qué? ¿Quieres verlo? Puta, so puta, más que puta. Ya está. ¿Qué pasa?

—¡Queti! Deja en paz a Gregoria, por favor... Y a usted ya se lo advertí la última vez, estoy harta de tanta discusión, andan las dos todo el santo día a la greña, como el perro y el gato, ya está bien, ¿no?

39

—Perdone, doctora.

—¿Qué ha pasado? Tengo al párroco del pueblo en el despacho, llevo un montón de horas devanándome los sesos para encontrar la manera de sacarle dinero y no suelta un duro, espero que esta vez, por lo menos, haya pasado algo de verdad...

—Sí, señorita, verá usted, es Migue, que tiene escondido algo afilado en el puño, ¿lo ve? La he pillado arañando la mesa con el pico, pero no me quiere enseñar lo que es, no me lo quiere dar.

—Vamos a ver, Miguela. ¿Me lo quieres enseñar a mí?

—Tampoco.

—Y ¿por qué?

—Es mío.

—¡Claro que es tuyo! Pero yo no te lo voy a quitar, no quiero quedármelo, ¿comprendes? Solamente quiero verlo. Seguro que es algo precioso, ¿a que sí?

—Sí.

—Entonces, déjame verlo un momento, simplemente abre la mano para que yo lo vea, no lo tocaré siquiera...

—No.

—Muy bien, como quieras. Oye, Migue, tú no me tienes miedo, ¿verdad que no? Yo nunca te he castigado, ni te he regañado, sólo un poco, aquella vez que le tiraste la sopera encima al pobre Salvador... pero ¿te acuerdas de cómo nos reímos luego? Eres una buena chica, Migue, ¿no es verdad que te lo digo siempre? Y somos amigas desde hace años, ¿o no?

—Sí.

—Bueno. Pues entonces déjame que te coja el puño, a ver si adivino lo que es sin que tengas que abrir la mano, ¿vale? Como si estuviéramos jugando...

—Vale.

—A ver, a ver... Nada, que no lo adivino. Separa un poco los dedos, anda, a ver si puedo ver algo entre las rendijas.

—No.

—Migue, no quiero enfadarme...

—¡Déjeme usted a mí, señorita, que es usted demasiado blanda! Tú, Serafín, sujétala por el codo izquierdo, así, y yo le abriré el puño con las dos manos...

—¡Gregoria!

—¡No me muerdas, Queti, o cuando termine con ésta empezaré contigo!

—¡Gregoria, deje en paz a Miguela inmediatamente!

—Ya está, ya lo tengo...

—¡Gregoria, está usted despedida!

—Pero señorita... Pero si yo llevo trabajando en este manicomio muchos más años que nadie... ¡Ve usted lo que ha conseguido! Se lo ha tragado, ahora se lo ha tragado, por su culpa, señorita...

—Queti, por favor, dile a Miguela que se saque ese objeto de la boca. A ti te hace caso y es peligroso, se puede hacer daño, estoy hablando en serio. Serafín, vaya a buscar al doctor Salgado y dígale que venga corriendo, por favor. Y usted, Gregoria, vaya a su cuarto a hacer las maletas. No quiero volver a verla.

—Pero señorita...

—Vamos, Migue, cariño, ya has oído a la doctora, puedes hacerte daño, es verdad... La doctora es buena, ya has visto, ha echado a la bruja esa, Gregoria ya no volverá a fastidiarnos nunca más. Mira, tienes sangre en la palma de la mano, antes te has hecho un montón de heriditas, al apretar el puño... ¿Qué quieres, romperte los labios? A él no le vas a gustar así, estarás fea, con tanta sangre... Sácate eso de la boca, vamos, Migue, y no llores, mujer, si no te lo van a quitar, seguro, si sólo queremos verlo... A ver, muy bien, con cuidado, ya está... Ahora se lo voy a dar a la doctora, ¿vale?, y no llores más, Migue, por Dios, no llores...

—Gracias, Queti.

—¡Doctor, por favor, dígale a la señorita que no me eche!

—¿Todavía estás ahí, Gregoria? Creía haber hablado en español.

—Sí, señorita...

—Muy bien, pues todo el mundo fuera, tengo que hablar con el doctor Salgado. ¡Hala, cada uno a lo suyo! Queti, si no te importa, llévate a Miguela a la cama, acuéstala, y luego vuelve, por favor, quiero preguntarte un par de cosas. Y usted, Gregoria, espéreme en mi despacho, luego hablaremos...

—¿Qué ha pasado, Rosa?

—Mira esto.

—Una estrella roja... ¡Qué bonita! Y parece antigua... ¿De dónde la has sacado?

—La tenía Miguela. No quería dejarnos verla por nada del mundo. La ha apretado tanto dentro del puño que se ha hecho cinco heridas, una con cada punta, y luego se la ha metido en la boca, no se la ha tragado de puro milagro...

—¡Qué raro! Es una insignia de hombre, ¿ves?, con un remache para el ojal, y pesa mucho, debe ser de plomo o algo así... Y tiene como unas letras en el centro, ¿no?

—Sí, pero no puedo leerlas. A ver... Nada, el esmalte está demasiado sucio.

—Trae, la voy a limpiar con alcohol... Bueno, no es que sea gran cosa, pero ya se lee algo... PUUM. Parece una coña, tiene gracia, ¿qué será esto?

—Déjame... No, yo creo que no es PUUM. La segunda letra parece una O mayúscula rota por arriba, es decir... POUM.

—¿¡Queeé...!? ¿Me estás diciendo que lo que escondía Migue es una estrella roja del POUM?

—Sí, señor, del Partido... ¿Cómo era?

—Partido... No me acuerdo, lo último era Unidad Marxista, creo.

—Partido ¿Obrero...? de... ¿Unidad Marxista?

—Sí, algo así... No, ¡unificación!, eso es, Partido Obrero de Unificación Marxista, POUM, seguro.

—¡Es increíble! A estas alturas y aquí, en medio

del campo... No me explico de dónde habrá sacado esto.

—¿Se puede?

—Sí, claro. Pasa, Queti, por favor, siéntate... ¿Cómo está Miguela?

—Uy, mucho mejor, ya se le han pasado los nervios, aunque sigue llorando, no se cansa, la pobre...

—Ya se le pasará, no te preocupes. Mira esto, Queti, y fíjate bien, por favor. ¿Se lo habías visto antes alguna vez?

—No, sólo por encima, hace un momento, cuando se lo he dado a usted.

—¿Estás segura?

—Sí, es una estrellita muy mona, si la hubiera visto antes me habría llamado la atención. Seguramente la tendría guardada... Puede ser, ¿no?

—Claro, claro que puede ser, lo que pasa... Verás, Queti, esto es una insignia de un partido político revolucionario de ideología troskista...

—¿Qué?

—Comunistas, Queti, un partido de rojos.

—¡Ah! Perdone, doctora, pero es que al doctor le entiendo mucho mejor...

—Ya. Bueno, el caso es que este partido luchó por la República, es decir, que perdió la guerra y ya nunca más se supo. Nadie lo ha vuelto a fundar, ¿comprendes?, no es como el PSOE, sino que se acabó la guerra y se acabó el POUM, para siempre jamás... Lo entiendes, ¿verdad?

—Sí, pero no sé qué tiene que ver conmigo todo esto.

—No, nada. Lo que pasa es que nos ha extrañado que Migue tuviera una cosa así.

—Pues yo no le veo nada de particular. Al fin y al cabo es un broche muy bonito, se lo ha podido dar cualquiera, ¿no?

—No, Queti, cualquiera no... Cualquiera no, eso es lo extraño.

—Déjalo, Rosa, seguramente lo habrá encontrado en el jardín. Acuérdate de la historia del incendio, tú misma me la contaste, puede que sea verdad, después de todo...

—Sí, no sé, tal vez me estoy pasando... Es raro, pero, bueno, en un sitio como éste siempre ocurren cosas raras. Vale, Queti, ya puedes irte, muchas gracias.

—De nada, doctora. Adiós, doctor Salgado, que está usted cada día más guapo.

—Gracias, lo mismo digo.

—¡Uy, qué va! Si ya no soy ni una mala sombra de lo que fui. Me tendría que haber visto usted en mis buenos tiempos, la princesa de Vitoria, me llamaban, divina, era yo, una mujer divina...

—Un momentito, Queti.

—¿Sí?

—Perdona, pero me acabo de acordar, sólo una cosa más. Te he oído antes decirle a Miguela algo así

45

como «a él no le vas a gustar, estarás fea». Y quisiera saber... ¿quién es él?

—¿El...? Sí, él... Bueno, él... Verá, es que no sé cómo contárselo, pero... Le va a parecer una tontería... Bueno, sí, él... ¡El es el póster de Rambo que tiene la cocinera, eso es, el póster de Rambo es él! Siempre le estoy tomando el pelo a Miguela a propósito del bruto ese. Le digo que es su novio y la pobre se ríe mucho, angelito, qué sabrá ella. ¡Qué pena!, ¿verdad?, que el seso no le llegue a Migue ni para enamorarse siquiera...

¡La madre que parió al fundador del partido revolucionario ese y a toda su parentela...! Ya le podía haber regalado la medalla de la Primera Comunión, vamos, digo yo, que hay que ver lo que tiene que hacer una, desde luego... Y mira que no me gusta mentir, eh, que no me gusta ni pizca, porque me estoy quedando sin memoria, y cuando suelto un embuste luego no me acuerdo, y la doctora me pilla siempre. Menos mal que lo del póster me salió así, como muy natural, y es que yo siempre he tenido muchas dotes de actriz, a eso habría tenido que dedicarme yo, al teatro, con la voz tan bonita y tan elegante que he tenido siempre, y esa cinturita que a mi padre se le juntaban las yemas de los dedos cuando me abrazaba... En fin, que gracias a Dios, la cosa no fue a mayores. Migue lo pasó mal unos días, eso sí, llorando todo el tiempo, no le daba la gana de levan-

tarse por las mañanas, se tiraba los días enteros en la
cama, con el embozo de la sábana a la altura de los
ojos, hasta que una tarde, así, por las buenas, se echó
a reír, y no con esa risa tonta, desbocada, que le da
otras veces, que entonces es cuando te das cuenta de
que en el fondo no es más que una criatura, no, así
no, sino con una risa de persona lista, como de mujer
de mundo, no sé cómo explicarlo, pero el caso es que
aquella tarde se puso en pie de un salto y salió al
pasillo descalza, en camisón, que hay que ver, con lo
friolera que es ella siempre, entonces yo empecé a
sospechar y salí detrás, con sus zapatillas en la mano,
para tener una excusa si me encontraba con alguien,
aunque yo ya sabía lo que iba a pasar, ya sabía yo
adónde iba... Me quedé apoyada en el quicio de la
puerta, eso sí, para no asustarla como la otra vez, y
allí estaba él, sentado en el alféizar, igualito que la
primera vez que le vi, igualito menos por la estrella
roja, que ya no la llevaba prendida en el pecho, claro,
riéndose él también, riéndose a carcajadas para que
ella se riera, y me pareció más guapo, hasta más limpio, porque a Migue le volvió a cambiar la cara, y las
mejillas se le afinaron, y los ojos se le agrandaron, y
cuando alargó la mano para enseñarle las cinco heridas que todavía le marcaban la palma, sus gestos
eran ágiles, y sus dedos se habían hecho más largos,
más delgados, era otra mujer, Migue, y él tomó su
mano y luego su cintura, tan fina de repente, y la
besó, y aunque sus mejillas, la barba a medio crecer,
no llegaban a ocultar la cara de ella, aunque podía

47

seguir viendo el cuerpo de Migue, tan hermoso ahora, a través de la carne transparente de su pobre amante, me corrió un escalofrío por la espalda y se me saltaron las lágrimas, como si todo aquello estuviera pasando de verdad... Entonces se me ocurrió, lo que son las cosas, se me ocurrió que quizás, aquel hombre, el novio de Migue, conociera a mi niño, que, a lo mejor, los dos estaban en el mismo sitio, vete a saber, porque Rafa también había estado liado con el rojerío, de jovencito, que por eso sabía yo de sobra lo que era una estrella roja cuando le mentí a la doctora, que debí de quedar como una imbécil con eso de que si era un brochecito muy mono, si lo sabía, yo lo sabía todo por mi hijo, que contaba una historia muy rara y muy bonita de un chino que se subió a un monte a ver el amanecer y dijo entonces que el Este era rojo, me lo contó muchas veces Rafa, antes de enfermar, cuando se puso tan malo con la diabetes esa, que tuvo que andar pinchándose insulina todos los días hasta que murió, veintidós años tenía solamente, si no era más que un niño, pero se me murió, y ya no lo tengo...

—Dáselo tú, Fernando. Al fin y al cabo has sido tú quien te has ocupado de encargarlo, y has ido a Madrid a por ella...

—No. Se lo tienes que dar tú. La idea fue tuya.

—Bueno. ¡Queti, corre, ven aquí...! Toma, Migue, y feliz cumpleaños.

—Regalo.

—Sí, Migue, es un regalo... Te lo han dado los doctores, que te quieren mucho, igual que yo, lo que pasa es que como a mí el cabrón de mi marido me ha robado las tierras, pues...

—¡Queti!

—¡Pero si es verdad, doctora! Si no me ha dejado ni dos perras para comprarle bombones a esta infeliz. Trae, Migue, ¿quieres que te ayude yo a quitar el papel? Así... ¡Anda, mira qué chulo! Joyería Martínez. Abre tú la caja, por delante, levanta la tapa... Muy bien.

—Est...rella.

—Sí, Migue, es la estrella, pero ya no te pincharás con ella nunca más.

—Est...rella. Es mía, la estrella. Gracias.

—Claro que es tuya, si es la misma... Lo que pasa es que, ahora, como está metida dentro de este aro, las puntas no te pueden hacer daño. En cambio, si pasamos esta cadena por el agujerito de arriba... A ver... Ya está. Hemos mandado que le quiten el remache de atrás, ahora pesa mucho menos, y puedes llevarla colgada del cuello, ¿ves?, como si fuera un collar. Si no quieres, no tienes que quitártela ni para dormir. ¿Te gusta?

—Sí. La estrella... Es mía. Gracias, gracias.

—No te me irás a echar ahora a llorar otra vez, ¿verdad, Miguela?

—Sí. Gracias, gracias, gracias.

—Vamos, mujer, si era tuya, tuya desde el principio. Y en los cumpleaños se hacen regalos a las personas, ¿no? Venga, deja de llorar, Migue... Y no me des tanto las gracias. Tienes que aprender a no dar las gracias cuando no hace falta, ¿eh...? Ven, Queti, quédate con ella, os he reunido aquí a todos porque tengo que daros una buena noticia... A ver, los del fondo, ¿se me oye bien? Vale. Lo que tenemos que deciros el doctor Salgado y yo es que por fin hemos conseguido dinero para convertir el jardín, que está todo requemado y hecho un rastrojal, en un patio. La semana que viene vendrá Matías el constructor, el de la Majada, ese que ya nos ha echado una mano otras veces, y empezará a trabajar con su cuadrilla. Me ha dicho que dentro de un mes habrán terminado, y tendremos un patio nuevo completamente liso donde sacar las sillas para tomar el sol, pasear, hacer fiestas y hasta comer al aire libre, cuando haga bueno. Plantaremos algunos árboles grandes para que den sombra, y dejaremos una praderita con césped. La parte de atrás no la vamos a tocar de momento, porque, aparte de que no nos llega el dinero, hemos pensado en sanear el terreno e intentar hacer un huerto, si os parece bien. Lo digo porque tendréis que ayudarnos, ¿alguno de vosotros sabe algo de huertos? Fernando y yo, ni a cultivar geranios en una maceta llegamos... Menos risas que estoy hablando en serio. Muy bien, Eusebio, tú que eres de La Rioja, ¿alguien más...? Los voluntarios, que levanten la mano.

Si ya sabía yo que acabaría pasando algo, si lo sabía, porque lo de Migue tenía que acabar mal y hay cosas que no se deben juntar nunca. Lo que dice el refrán, el muerto al hoyo y el vivo al bollo, y el galán de Miguela era un muerto de verdad, no como Rafa, que sólo de verlo en la caja, tan joven y tan bien hecho, que hasta colores en las mejillas tenía todavía a pesar de lo delgadito que se me había ido quedando, ya me di yo cuenta de que no se me había muerto del todo, hasta antes de que me guiñara el ojo me di yo cuenta, porque nadie se lo cree, pero me lo guiñó, por éstas lo juro, que me guiñó el ojo desde la caja, mi niño. Entonces ya sabía yo que no, que lo suyo no era como lo de éste, el de Migue quiero decir, porque éste estaba muerto y bien muerto, lo que se dice muerto del todo, como los reyes godos, vamos, ya sin colores ni nada, con los dos pies bien plantados en el otro barrio. Y sin embargo, lo que son las cosas, el último día, cuando los obreros habían levantado ya casi todo el jardín, le vi entrar en la habitación, fíjate qué raro, si siempre era Miguela la que iba a verle, pero aquella vez no, aquel día vino él, a nuestro cuarto. La hormigonera estaba armando un escándalo de tres pares de narices, por decirlo así, a lo fino, no podíamos hablar ni nada, así que ella ni siquiera se volvió, siguió mirando por la ventana, y cuando él se acercó y la cogió de la mano, ¡anda!... ¡Pues no se había vuelto espeso, su novio! Pero lo que se dice espeso espeso, espesito como una persona de verdad, que ya ni se le trans-

51

parentaba la carne ni nada, y Migue se dio cuenta, claro, y eso que ella siempre había podido tocarle, aun cuando estaba hecho de puro aire, yo notaba que ella le podía tocar, porque se le aplastaban los labios cuando le besaba, pero ahora debió sentir algo distinto, piel auténtica, debió sentir, la pobre Migue, y entonces empecé a temerme lo peor, porque ella le apretaba y le estrujaba la mano con sus dedos, y sonreía, daba como grititos de lo contenta que se había puesto, pero él estaba serio, como triste, si hasta a punto de llorar, me dio la sensación de que andaba, más gris y más oscuro que nunca... Aquella vez, a Migue ya no le cambió la cara, no le cambió pero es que nada, ni una pizca, yo tenía los puños apretados y ganas de rezar, habría empezado a rezar allí mismo, echada en el suelo de rodillas, si no me hubiera puesto tan nerviosa, ay, Dios mío, me decía yo, Dios mío, que se le vuelvan los ojos redondos por lo menos, siquiera los ojos, pero no, qué va, ahí estaba ella, tan contenta, venga sobarle la mano, una vez, y otra, y otra, y le cogía por la cintura, le hundía los dedos en los flancos, le palpaba los brazos y las piernas como si estuviera ciega, y se reía todo el tiempo, se reía con su maldita risa de tonta, la risa de siempre, los labios tan finos, los párpados tirantes, las pestañas tiesas, toda su cara encarnada, redonda, de mongólica vieja, y yo la miraba y ya no sabía lo que hacer... Sus ojos, al final me atreví a decírselo en voz baja, ya no me importaba que se deshiciera como la otra vez, qué me iba a importar a mí ya lo que pasara, y se lo pedí así, hablándole sin miedo, al menos cámbiale los ojos, por favor, hazlo por ella, los ojos siquiera, pero él volvió la cabeza para mirarme, y negó varias veces, la movía despacio, de un lado a otro, y nunca he visto a nadie tan triste, ni vivo ni muerto, no puedo, parecía decirme, ya no puedo, y entonces la mala bruja de Gregoria entró en la casa dando gritos...

—¡Señorita, señorita, venga, corra! ¿Dónde está, señorita? ¡Doctor, venga corriendo! ¡Señorita...!

—¿Qué pasa? ¡Deja ya de dar gritos de una vez!

—¡Ay, doctor, doctor, qué miedo he pasado! ¿Dónde está la señorita Rosalía? Tienen que venir al jardín ahora mismo, corriendo, no saben qué horror...

—Mira, Gregoria, ya me tienes hasta las mismísimas narices...

—No diga eso, señorita, y no se enfade conmigo, que lo de hoy es muy gordo... Vengan, vengan conmigo los dos... Por aquí... Los obreros han encontrado unos huesos enterrados en el jardín.

—¿Y qué?

—¿Cómo que y qué? Huesos, señorita, huesos de muertos. Se me van a desgastar los dedos de tanto santiguarme...

—Pues no te santigües y ya está.

—Sí, hombre, para que me caiga encima una maldición que me muera, o algo peor.

53

—Lo que no nos caerá a nosotros es esa breva... Buenos días, Matías. ¿Son éstos?

—Sí, doctora. Los acabamos de sacar. Son dos, ¿ve?, tenían muy poca tierra encima. He mandado al chaval a casa para avisar a mi padre. Padre, salude a la doctora...

—Si ya nos conocemos... ¿Qué tal, Balbino, cómo está usted?

—Tirando malamente, señorita.

—No diga usted eso, hombre, que tiene muy buen aspecto para haber llegado casi a los ochenta. Ven, Fernando... ¿Qué te parece?

—Bueno, éste de la derecha está completamente carbonizado... Y por lo que se ve, el de la izquierda parece que tiene un agujero en el cráneo, ¿no? Mira lo que hay aquí... Es como un machete.

—Trae... A ver.

—Por eso he mandado yo llamar a mi padre...

—Es que yo sé lo que es eso, señorita.

—¿Qué dice usted, Balbino?

—Que yo sé lo que es, bueno, que sé de quién era, quiero decir... Verá, mire a ver si tiene dos letras, una O y una S, en la base de la hoja, pegando con el mango... Están ahí, ¿verdad usted? No hay muchos cuchillos de esa manera, por aquí... Lo tenía un primo mío, Orencio se llamaba, Orencio Sanz, el mayor de los hijos de mi abuelo... Trabajaba de cantero, con el granito, ¿sabe usted?, hay mucho por aquí, y se ganaba bien en aquella época, cuando yo era un chaval. Era rojo, el Orencio, y se significó mucho, demasiado, diría yo, si hasta se fue a Madrid y dicen que estuvo por donde el Clínico, con Durruti, aunque vaya usted a saber, porque se dicen tantas cosas, y él anarquista no era, eso no... Este puñal se lo trajo de Africa, que le tocó ir allí cuando el servicio, y luego se lo hizo grabar con sus iniciales, por eso lo ha reconocido el Matías, yo se lo había relatado ya muchas veces, y como ése no hay otro. Sus padres siempre creyeron que se había quedado allí, en Madrid, y muerto, porque no llegó ninguna carta de que estuviera preso, pero algunos lo vieron después por el Cerro del Telégrafo y les contó que se había echado al monte, andaban con él otros de la misma partida, todos eran de por aquí, Cercedilla, Collado, Chozas, en fin, de toda la sierra esta...

—O sea... que eso de que ellos estaban aquí cuando lo del incendio es verdad.

—Sí señor, verdad de la buena. ¡Pues no iban a estar! ¿Quién armó el fuego si no?

—¿Y qué se sabe de aquello, Balbino?

—Pues... ¿qué quiere usted que se sepa, señorita? Nada. Si cuando llegamos estaba casi apagado...

—¡Cuénteselo usted, padre! Si ya, total, qué más da.

—¡Tú te callas!

—Como usted quiera, Balbino, pero yo le agradecería... En fin, después de todo, ahora los responsables de la casa somos nosotros.

—¡Maldito Matías! Toda la vida metiendo la pata...

—¡Echelo fuera ya de una vez, padre, si no va a pasar nada!

—No, ¿eh...? Qué sabrás tú, pedazo de imbécil... Les contaré lo que me dé la gana, ¿está claro? Bueno... El caso es que Orencio no murió en el incendio, no... La verdad es que lo mató otro miliciano, un hombre de Miraflores que quería vengarse por lo que le había hecho a su hija, una chica de veintitantos años que les subía comida al monte de vez en cuando... Por lo visto, al Orencio le hacía gracia la chica, y estaba siempre con ella, medio en broma, medio en serio, que si eran novios y eso, ya saben... Ella se aficionó a verle, y se iba para arriba cada vez más a menudo, y al padre no le gustaba, claro, porque era peligroso. Le advirtió que se quedara en casa con su madre, pero ella no, ella subía un día sí y al otro también, hasta que una noche le dio por seguirla a la Guardia Civil, y al final de la trocha organizaron una escabechina que para qué le cuento, ocho murieron, el hermano de la chica entre ellos... Entonces, el hombre aquel, el padre de ella, empezó a decir que el Orencio era un traidor, que había sido el Orencio quien había engatusado a la chica para que la Guardia Civil la siguiera, que era el responsable de la muerte de su hijo y de los otros siete, pero nadie tomó partido por él, y las cosas siguieron tal cual una temporada. Hasta que un día, la mañana de Reyes, la chica amaneció muerta en el Huerto del Cura, orilla del río, con la ropa destrozada y llena de sangre. La habían violado, ¿sabe usted?, hasta reventarla... Aquella misma noche, su padre me mandó aviso de que quería hablar conmigo. Yo era muy joven, ya se lo he dicho, pero era también el mayor de mi familia, y fui a verle, porque a una cosa así hay que ir. Entonces me enteré de que Orencio no estaba con los demás. Llevaba tres días aquí, escondido en esta casa, con un balazo en un brazo. Mi chica no conocía a nadie más en este pueblo, me dijo aquel hombre, y hay una buena tirada desde Miraflores, ya lo sabes... Si no estaba con él, ¿con quién iba a estar...? Me pareció que en eso llevaba razón. Había perdido dos hijos en muy poco tiempo, estaba como loco... Quería asegurarse de que yo no le ajustaría las cuentas a los suyos si él conseguía vengar a su hija. No sería justo, me dijo, porque tú y tus hermanos seguís en vuestra casa, y yo estoy en el monte. La suerte de tu primo la decidiremos entre todos, pero pase lo que pase, un muerto por un muerto ya es bastante. Yo intenté ponerme en su lugar, me pregunté cómo estaría si a una hija mía le hubiera pasado algo parecido, yo... nunca creí que fuera a pasar lo que pasó. Nos despedimos en paz, y él se marchó para arriba. Se las ingenió para convencer a unos cuantos, pero otros, el Victoriano a la cabeza, dijeron que no, que el Orencio era inocente, y empezaron a discutir, se tiraron horas chillándose los unos a los otros... Al final, bajaron en dos cuadrillas, la una para linchar a Orencio, la otra para salvarle. Fueron los primeros quienes pegaron fuego a la casa, para obligarle a salir, pero ni tiempo tuvo para eso. El padre de la chica se coló dentro y le descubrió, anduvo luchando con él, y al final, le clavó una piqueta en la frente y le mató. Luego, al intentar huir, se le cayó una viga ardiendo encima, y murió él también. El Victoriano, que llegó al final, contó que le había pedido ayuda, pero que él prefirió vengar a su amigo, ya ve usted, qué triste gloria... Y no hay nada más que contar, por lo menos yo ya he tenido bastante. Ahora, si no le importa, me gustaría llevarme al Orencio para enterrarlo decentemente.

—Claro. ¡Serafín, trae la furgoneta! Balbino se va a llevar los restos.

—Los restos no, señorita. Yo solamente a éste. Yo, al asesino de mi primo, no me lo llevo.

—Oye, Matías, lo siento mucho. De verdad. No habría querido molestar a tu padre por nada del mundo.

—Déjelo estar, doctora.

—Pero es que, hace ya tantos años... Ni siquiera es para tanto, ¿no?

—Si es que no es eso, doctora, no es eso...

—Entonces, ¿qué es?

—Es que ella..., la chica... era retrasada mental. No subnormal del todo, pero un poco tarda, ¿comprende?

—¿Y?

—Y además, no fue Orencio quien la mató. Ella

58

vino aquí en su busca, eso sí, pero él ni siquiera llegó a verla.

—¿Y tú cómo lo sabes?

—Orencio no tenía una herida en el brazo, doctora, sino en la pierna. Una bala le había atravesado el muslo de punta a punta, muy cerca de la ingle. No se puede andar con una herida así.

—Pero tu padre...

—Mi padre no lo sabía, doctora, nadie lo supo hasta después, cuando el Victoriano y los otros contaron la verdad. El hombre aquel mintió, mintió en eso y en muchas otras cosas. A la mañana siguiente, su viuda, ¿sabe usted?, salió para ir a misa con una blusa verde. Dijo que se había quitado el luto porque su hija ya descansaba en paz, el asesino ya había muerto. Pero deberías llevarlo por tu marido, le dijeron. Y ella contestó que era por su marido por quien se lo había quitado.

—¡Qué barbaridad!

—Pues sí, pero eso contó la mujer, y las vecinas murmuraron que no era la primera vez que él abusaba de la chica, ellos sabrían... Pero no le diga nunca a mi padre que se lo he contado, por favor se lo pido. No ha vuelto a dormir bien desde entonces, y hoy ha perdido su última oportunidad, ya lo ha visto... No ha querido hablar, le meterán en la tumba convencido de que fue él, y nadie más que él, quien mató a su primo Orencio.

Y luego hubo que aguantar a la Gregoria, claro, a la Gregoria dándose pisto de que ella lo sabía todo, que si esto, que si lo otro, mal rayo la parta, maldita sea, si es que la doctora parece tonta de puro buena, que la ha echado ya media docena de veces desde que estoy yo aquí y luego se arrepiente siempre... Orencio, me contó Gregoria que se llamaba, y me dijo que era un violador y que por eso había matado al otro que estaba con él en la misma fosa. Ahí metí la pata yo, hasta el fondo metí la pata, porque estaba muy nerviosa y me dio por decir que no, que él no podía ser un violador, que de ninguna manera, y Gregoria me miró raro, pero luego, como ella también se debe de pensar que estoy loca, pues se largó, y nos dejó en paz sin decirle nada a Migue, menos mal que ella no se enteró de nada... Pero, si es que era verdad, ¿cómo iba a ser un criminal ese bendito, si a ella le cambiaba la cara sólo con verle aparecer por la puerta? ¿Cómo iba a haber matado a nadie, si entre todo el mundo, y teniéndome a mí, que hay que ver cómo estoy todavía, que me lo dice el doctor cada vez que me lo encuentro, tan a mano, había elegido precisamente a la infeliz de Migue, que además de mongólica es ya casi cuarentona? No puede ser, no, es imposible, y además, pensé luego, si le da por violar también a Miguela, pues mejor, y eso que se llevará puesta la criatura, que me da a mí que ella nunca... Pero, qué va, si no tenía ni carne en la cara... ¿la va a tener ahí?, pues no, ya se ve clarísimo que no... El caso es que dejó de aparecerse desde aquel día, cuando le sacaron del jardín, ya no volvió más, y Migue se quedó como muerta, igual que una muerta se me quedó, que no quería comer, ni dormir, ni salir fuera, todo el día mirando a la ventana estaba, con el espejo en la mano, y hacíamos de todo para intentar entretenerla, pero nada, que ni los dibujos animados de la tele le gustaban ya, con lo que reía antes con ellos, y yo una vez hasta le quité la estrella del cuello, me lo pidió la doctora, que se la quitara para ver lo que pasaba, y ni protestó siquiera... Entonces me dio por llamarle, ahora que sabía su nombre le llamaba a todas horas, Orencio, ¿dónde estás?, Orencio, vuelve. Me recorrí la casa de arriba abajo, llamándole, buscándole, pero no le encontré, no volvió, y lo de Migue fue de mal en peor. Irascible dijeron que se había vuelto, inestable y violenta, le venían ataques, gritaba y le daba por romperlo todo, de repente, y luego era como si se muriera otra vez, quieta y sola, como sola por dentro. Nadie se explicaba lo que le pasaba, pero yo sí, yo lo sabía, que se miraba en el espejo y el cristal ya sólo la reflejaba tal cual era, y se tocaba los párpados y los tenía tirantes, y se miraba en el espejo y los veía tirantes también, y no podía soportarlo, no podía, porque ella quería ser guapa, quería ser lista otra vez, reírse con su otra risa, acariciar su otra cara, sus ojos redondos, pero era imposible, porque él ya no la miraba, él ya no estaba ahí para mirarla... Y no sé cómo no se me ocurrió, cómo no adiviné lo que iba a pasar, porque la culpa fue mía, solamente mía, yo había estado con ella toda la mañana, yo la vi mirarse en el espejo y ponerse cada vez peor, más triste, más furiosa, tiró el espejo al suelo y no hice nada, apenas chillarla, regañarla como una imbécil que soy, y luego llegué tarde, la vi recoger el pedazo más grande y mirar el filo con ojos de loca, y no hice nada, pasó un dedo por el canto y se hizo sangre, pero yo no adiviné, no fui capaz de evitarlo, y cuando quise ya era tarde, cuando pude correr ella ya se había rajado los párpados con aquel maldito espejo, ya tenía dos rayitas rojas sobre las mejillas, como esas que se pintan los payasos, y los ojos rotos, rotos, pero no redondos...

—¿Cómo está, cómo está Miguela, doctora?

—En general, muy bien. Pero ha perdido la visión... en los dos ojos.

—¿Ciega? ¡Ay, Dios mío, Dios mío! Y es todo culpa mía, culpa mía, que no sirvo para nada, maldita sea, si todo lo que toco se estropea...

—Vamos, Queti, no te pongas así, mujer. Esto no es culpa de nadie.

—Sí, es culpa mía, que se me mueren todos mis hijos, como Rafa, que me pedía dinero y yo se lo daba, se lo daba a escondidas para que estuviera contento, y lo estaba matando, ¿sabe?, lo maté yo, con mi dinero.

—No digas eso, Queti, por favor, no vuelvas a decirlo nunca más. Gracias, Fernando... Mira, el doctor te ha traído una tila. Tómatela, anda.

—No la quiero.

—Sí la quieres y te la vas a beber. Mira, Queti, nadie sabe lo que pasó por la cabeza de Miguela cuando se hirió con el espejo, yo no lo sé, tú no lo sabes, y no lo sabe nadie, ¿entiendes? Y ahora es cuando tienes que demostrarle que la quieres, ahora vamos a tener que ayudarla entre todos, habrá que darle de comer, vestirla y desnudarla, consolarla y entretenerla, porque no se la puede enseñar, como a otros ciegos, así, con su síndrome y tan mayor, nunca aprendería...

En eso tuvo razón la doctora, ¿ves?, más razón que un santo tuvo, porque Miguela no aprendió, no le dio la gana de aprender a hacer nada, era lo mismo que regar una planta, yo la vestía, la daba de desayunar, la sacaba de paseo, y ella, ¡hala!, tan contenta o tan triste, que de las dos maneras se puede decir, porque le daba lo mismo ocho que ochenta, carne o pescado, que la lavara o no, ya todo le daba igual, vivir o morirse. ¡Y el Orencio en Babia! Eso era lo que más rabia me daba, que seguía en Babia el tío, sin asomar una punta por ninguna parte. Yo al principio todavía tuve esperanzas, si antes era capaz de volverla normal, pensaba, ahora podrá arreglarle lo de los ojos, es que era lo mínimo, vamos, porque yo estaba segura de que se había rajado los párpados para ver si se le volvían flojos, lisos, pues claro, igual que una tela, debió de pensar ella, si se me aflojan los párpados, se me agrandan los ojos, y si vuelvo a tener los ojos grandes, él volverá, eso debió de pensar Migue, con la pizca de seso que tenía, pero qué va, si todos los hombres son iguales, eso va a misa, todos iguales, a ver si no, y además, las cosas no son lo mismo del derecho que del revés, y los milagros, que no existen, pues no te digo ya cómo son, que uno no puede hacerlos así, cuando le viene en gana... Lo que pasa es que a mí se me encogía el corazón sólo de verla, cada vez más delgadita, con esas gafas de plástico negro que la pusieron, que parecía que iba a vender los veinte iguales cualquier tarde, pobrecita, si es que no había derecho, jolín, que no había derecho, que el Orencio era un cabrón, que para qué la había mimado tanto, a ver, tantos besos y tanta leche, si ella de mongólica no estaba mal, si había sido así toda su vida, no conocía otra cosa, pobre Migue. ¡Pues para dejarla tirada después!, ¿para qué iba a ser si no?, para eso la había enamorado el Orencio, las cosas como son, y los hombres, todos, una partida de cabrones, vivos o muertos, que lo mismo da. Así pensaba yo, con el cariño que había llegado a cogerle antes, fíjate, que ya hasta le perdonaba toda la mugre que llevaba encima, pero es que a lo mejor no podía venir, como ya no estaba enterrado en el jardín de casa... Total, que aquella tarde yo ya no sabía qué pensar, pero eso sí, cuando Gregoria anunció que nos íbamos al pueblo de paseo, que había fiestas, dije que yo a Migue me la llevaba y me la llevé. Lo que son las cosas, ¿por qué me pondría yo tan pesada esa tarde?, vete a saber, si a ella ni siquiera le apetecía, pero yo me empeñé, y buena soy yo cuando me empeño... Estaba raro el aire aquella tarde. Yo me di cuenta nada más salir, nunca me había pasado nada parecido, y Migue también lo notó, se puso más tiesa, como si le volvieran las ganas de repente, no sé lo que era, no lo sé, como no me lo explico todavía, yo lo digo así, que estaba raro el aire. El paseo fue bien, me aguantó el paso a pie firme, oye, no se quejó pero es que nada, y ya me figuraba yo que el cabrón ese andaba por ahí, porque a mitad de la cuesta Migue empezó a tocarse la estrella, a jugar con ella, como antes. Pasamos al lado de la iglesia y empezó a oler a churros, sonaba la música, creo que fue entonces cuando vi una mancha roja con el rabillo del ojo, sólo una mancha al principio, y no quise mirar aunque Miguela me tiraba del brazo cada vez más fuerte, hasta que volví la cabeza y le vi, claro, a Orencio, a quién si no, sujetando una bandera, de pie en la tapia del cementerio, con dos o tres desharrapados más. Y ella también le vio, y empezó a dar gritos de esos que daba cuando se ponía contenta, y a saltar encima de la acera como una condenada, ciega y todo, hay que ver, yo no me lo explico, que con los ojos rotos le viera Migue y los demás ni siquiera se enteraran. El doctor Salgado se me acercó, ¿qué le pasa a Miguela?, dijo, yo me quedé muy sorprendida, ¿pero es que usted no lo ve?, contesté, y él me miró raro, entonces comprendí que a Orencio sólo le veíamos nosotras dos y le dije al doctor que si no veía que estaba contenta, nada más. Me dio mucho apuro, porque, claro, era una situación muy comprometida, y al final le pedí al doctor que se adelantaran, no sólo por no quitarle a Migue el gusto de verle, porque desde luego le veía, no sé cómo, pero le veía, sino porque, además, me di cuenta de que no iba a poder llevármela de allí ni queriendo. Sólo cuando los otros ya se habían alejado unos pasos, me atreví a echarme a Orencio a la cara, le miré a los ojos y fue como si me hablara, lo que son las cosas, no movió los labios y, sin embargo, yo sentí que me hablaba, y no llegué a contestar, pero apenas había decidido que le iba a decir que no, que de ninguna manera, cuando me lo pidió otra vez, y miré a Miguela, como él me dijo, y estaba contenta, tan contenta que yo nunca la había visto así, y entonces pensé que a lo mejor él tenía razón, porque mongólica, y ciega, y tan triste... Ahora, que al que algo quiere, algo le cuesta, pensé, para que él me oyera, así, sin hablar, y en aquel momento hicimos el trato, bueno, yo siempre creí que habíamos hecho un trato, aunque él ni asintió con la cabeza ni nada, y miré a Miguela otra vez, para darme fuerzas, y la escuché reír con su risa de mujer de mundo, y cuando apareció el camión a lo lejos, la besé en la frente para despedirme, ella no se dio ni cuenta, y luego, mientras aquella mole blanca venía hacia nosotras cada vez más deprisa, esperé sólo un instante, Orencio levantó enseguida la bandera, entonces la empujé. Yo creía que no iba a poder, pero no me costó trabajo, ya ves, las dieciséis ruedas le pasaron por encima antes de que quisiera darse cuenta. Murió sin ningún dolor, en el acto, según dijo la doctora...

—¡Rosa, Rosa!

—Pero... ¿qué dices? Habla más alto, no te oigo.

—¡Dile a Gregoria que se lleve a los demás, que se vaya con todos a casa, ahora mismo!

—Bueno, pero...

—Nada, ni peros ni nada. Se tienen que ir todos, pero ya. Dame tu chaqueta, quiero taparle la cara a Miguela.

—Fernando, no puedes tocar el cadáver. Tiene que venir la Guardia Civil, y luego el juez, y...

—Hazme caso, Rosa, por favor.

—Muy bien, si te vas a poner así... ¡Gregoria, todo el mundo a casa! Lléveselos ahora mismo. Queti, vete tú también, vamos, corriendo... Vale, ya está. ¿Qué pasa?

—No te lo vas a creer.

—No me voy a creer ¿qué?

—Mira bien a esta mujer, Rosa, mírale la cara, los ojos...

—Fernando, por favor, no me obligues... Muy bien, pues ya la he visto, ¿qué pasa?

—Que esta mujer no es Miguela.

—Pero, ¡por Dios! ¿Qué estas diciendo? ¡Claro que es Miguela! Lo único que ocurre es que le acaba de pasar un camión por encima.

—No. Le ocurre eso, y que ya no es ella, fíjate, todavía se ve la forma de los ojos, la boca...

—¡Pero si ya no tiene cara!

—Claro que tiene, y eso es lo extraño, su cara. Porque es la cara que habría tenido Migue si no llega a nacer con el síndrome de Down...

—Te has vuelto loco, Fernando. Demencia transitoria. Ya sabes lo que dicen, a todos los psiquiatras nos pasa, antes o después...

No era Miguela, claro que no, bueno, sí era ella, pero otra, la mujer del espejo, y ya nunca volvería a tener los párpados tirantes, nunca jamás, me sentí tan bien cuando me lo contaron, porque al principio no es que yo las tuviera todas conmigo, no, qué va, porque, claro, para Orencio era muy fácil decirlo, mátala para salvarla, no te digo, dámela y yo cuidaré de ella, muy fácil, total, él lleva muerto la tira de años, pero quien la empujó fui yo, con estas manitas, la verdad es que yo la maté, ni más ni menos, aunque también es verdad que no lo lamento, que lo haría mil veces más, conmigo misma lo haría si supiera que a mí me iba a servir de algo... Al principio no, al principio me arrepentí y todo, pero luego me enteré, me lo contó Gregoria, que no pudieron cerrarle los ojos, la doctora dijo no sé qué de un nervio pinzado y la tuvieron que enterrar así, como a ella le gustaba ser, como será siempre ya, hasta que se acabe el mundo, guapa, Migue guapa, todavía me acuerdo, cómo le gustaba mirarse en el espejo y verse allí, tan distinta... La echo de menos, eso sí, la sigo echando de menos después de tanto tiempo, me has dejado sola, maldita, al final tú también me has dejado sola, ya se lo dije, ya, la primera vez que vino a verme, ella sonrió, siempre te estás quejando, Queti, me dijo, porque es que ahora me regaña ella a mí, la tía, no veas cómo se ha puesto... Claro que también se ha vuelto egoísta, Migue, tan egoísta como se vuelven todos los que tienen suerte, que ya no se acuerdan de los malos tiempos, ni de los amigos que han dejado atrás, lo que son las cosas... Porque a ver el trato que hice yo con el Orencio, a ver qué pasa ahora con eso, que me lo pensé yo mis dos veces y bien despacito, para que me escuchara con sus entendederas igual que le oía yo con las mías, bien clarito que se lo dije, ¿y qué? Pues nada, nada de nada, que aquí estoy todavía esperando, que a quien se lo cuente... Se lo volví a decir la última vez que la vi, que le recordara a su galán que un trato es un trato, y que ya estoy hasta el moño de todos ellos, de tanta risa, de tanto amor, y de tanta leche, y que la próxima vez, si no me trae a mi hijo, que no vuelva, así mismo se lo dije... Si yo sólo quiero ver a Rafa, verlo otra vez, aunque sea transparente, aunque se siga pinchando, aunque no me hable, aunque no me vea, verlo yo, eso es lo único que quiero, verlo un momentito nada más, y tú no me lo traes, maldita, no me lo traes y eso que tú puedes, con todo lo que he hecho yo por ti, que fui yo quien te maté, que te he dado la vida más que

69

tu propia madre, y no te da la gana... ¿Pues sabes lo que te digo? Que si no me lo traes no vuelvas nunca, que no te quiero ni ver, vete, ¿me oyes?, te estoy diciendo que te vayas, lárgate de una vez a donde vivas ahora y, por lo menos, déjame dormir en paz... Eso le dije, y no ha vuelto. La verdad es que yo, al principio, no lo entendía, con lo buena que era Migue, cómo no me iba a perdonar ella un arrebato así, tan tonto. Pero lo que pasa es que, como me estoy haciendo vieja, pues se me van las cosas de la cabeza, y ahora no, ahora ya me he acordado, menos mal. Porque... ¿cómo me van a traer a mi niño, si Rafa no está muerto? Pues claro, que yo también parezco imbécil, si no está muerto, qué va, si está en Vitoria, con los demás, esperándome, que hay que ver, la Seguridad Social cómo funciona de mal, la cantidad de tiempo que llevo aquí ya, guardando turno para que me operen de apendicitis... El quería venir, mi niño, a verme, pero yo le dije que no, que de ninguna manera, no iba a perder un curso ahora, con lo bien que va en el colegio. Por eso no me lo ha traído Migue, por eso, claro, porque está vivo, ahora que, la próxima vez que la vea, creo que voy a decirle que si me dejara verlo sólo un ratito, pues yo se lo agradecería igual, lo mismo, lo mismito, que si ya se hubiese muerto...

Malena, una vida hervida
(Relato parcialmente autobiográfico)

5 de diciembre de 1949

En el fondo, el placer de follar no supera al de comer. Si estuviera prohibido comer como está lo otro, habría nacido toda una ideología, una pasión del comer, con normas caballerescas. Ese éxtasis del que hablan —el ver, el soñar cuando follas— no es sino el placer de morder un níspero o un racimo de uvas.

Cesare Pavese, *El oficio de vivir*

Aquella vez ya no quiso sentarse con elegancia, ya no. Se desplomó encima de la silla con todo su peso y dejó escapar un sonoro suspiro. Desenroscó el capuchón de la estilográfica con un gesto de cansancio y trazó una rayita azul sobre la piel de su mano izquierda, junto a la base del dedo pulgar, para comprobar que estaba bien cargada, sometiéndose por última vez, pensó, a esa absurda manía infantil de la que no había logrado desembarazarse jamás. Centró correctamente la hoja de papel ilustrada con una de las más célebres Alicias de John Tenniel —el último regalo de Aleister—, y se dijo que tal vez fuera más sensato escribir una carta semejante en un folio blanco de papel vulgar, pero rechazó pronto tal hipótesis. Al fin y al cabo, una fiesta de no cumpleaños parecía el preludio ideal para un mensaje de despedida como el suyo. Echó una ojeada con el rabillo del ojo al hombre que roncaba estruendosamente en su propia cama, y equiparó la voluminosa silueta que se adivinaba bajo las sábanas al peso muerto de un viejo boxeador sonado, irrecuperable ya, fofo e imbécil. Suspiró de nuevo y comenzó a escribir:

Señor Juez:

Yo, Magdalena Hernández Rodríguez, española, viu-
da, química de profesión, de 46 años de edad, en plena po-
sesión de todas mis facultades físicas y mentales, he deci-
dido hoy, 7 de mayo de 1990, quitarme voluntariamente
la vida, dado que ésta ya no tiene ningún sentido para
mí...

No hacía ni tres meses que lo había encontrado
de nuevo, cuando ya no esperaba volver a verle jamás, cuando ya se había convencido a sí misma de
haber logrado olvidarle, cuando ya casi le daba
igual, justo entonces, en aquel preciso momento,
un hombre barbudo, gordo y más que mediana-
mente calvo, se abalanzó sobre ella en una fiesta
cortándole la respiración con un asfixiante abra-
zo, llenándole la cara de babas que olían a puro
canario, besándola con tanta torpeza que el clip de
uno de sus pendientes se desprendió y cayó al
suelo, donde alguien lo pisó sin querer para partirlo
limpiamente por la mitad, Malena, soy yo, Andrés,
¿no te alegras de verme...? Ella creyó que el suelo
se abría bajo sus pies mientras en su interior una
vocecita cada vez más débil luchaba con denuedo,
sin provecho, por alentar la última esperanza, un
aliento de amargura susurrando que no, que no podía ser, que tenía que ser un error, otro Andrés

quizá, pero él no, el suyo no, no podía ser Andrés, de ninguna manera...

Era Andrés, naturalmente. Cuando consiguió detener la húmeda avalancha que, más que recompensarla, la castigaba cruelmente por tantos años de espera, consiguió ya reconocer en aquel rostro abotargado y envilecido por la edad —tan implacable siempre con la gente estúpida—, algunos leves matices del enloquecedor adolescente al que nunca jamás había dejado de amar. Ahí, ocultos por una desagradable maraña entrecana, estaban los labios finísimos, apenas sugeridos, que ella había querido interpretar siempre como la tácita insinuación de un amante pérfido y experto, los labios cuya sola visión fuera antes capaz de desencadenar una incontrolable sucesión de escalofríos, calientes y helados a un tiempo, en el exacto centro de su columna vertebral. Y ahí estaba también todo lo demás, las delicadas ojeras —que se habían convertido en una bolsa, encima de otra bolsa, encima de otra bolsa—, la barbilla afilada —ahora rechoncha génesis de una blanda papada—, las enormes y huesudas manos de dedos largos —pero hinchados ya como percebes norteafricanos— y el cuerpo, el frágil y adorable cuerpo de antaño, el objeto único de un deseo espeso y oscuro como la sangre, doloroso, total, cebado en soledad durante casi treinta años para disolverse ahora, en un instante, ante la visión de ese grueso embutido mal cocido que resultaba ser Andrés, después de todo.

Coqueteó con él toda la noche, sin embargo, lanzándose con determinación a la reconquista de cualquier guiño, cualquier brillo, cualquier clavo ardiendo del que suspender siquiera la punta de una uña para desde allí recuperar el vértigo perdido. No halló nada de su eterno amor en él, pero aceptó a cambio una oferta sórdida, de puro vulgar —*¿por qué no me invitas a tu casa, y nos tomamos la última en la cama?*—, porque creyó debérselo a sí misma, a su traicionada memoria. Pero fue todo un desastre. No sólo resultó nulamente pérfido y desoladoramente inexperto, sino que, además, apenas se comportó como un amante. Se limitó a desplomarse sobre su cuerpo sin haber llegado a desnudarse del todo, y esperó todo el tiempo que hizo falta a que ella comprendiera que carecía de cualquier intención de conjugar el participio activo. Luego sonrió satisfecho, tosió un par de veces, y se durmió.

Para ella no fue tan fácil conciliar el sueño. Sentada en la cama, fumando un pitillo detrás de otro, sentía que le ardían los riñones, todos sus músculos doloridos, exhaustos por el esfuerzo de propulsar rítmicamente hacia arriba, sin apenas ayuda, la grosera alegoría de hombre a la que ahora, por obra del más injusto destino, parecía abocada su vida. Había vivido esperando a Andrés y por fin lo tenía durmiendo a su lado, roncando como un hipopótamo enfermo de asma. El futuro no parecía muy halagüeño. Tratando de olvidarlo, de vez en cuando se tumbaba, ablandaba la almohada, se ponía de perfil, luego de frente, probaba el lado contrario y se sentaba otra vez, para encender el penúltimo pitillo, desesperada. Hasta que una sonrisa iluminó su rostro un instante antes de animar su cuerpo. Completamente desnuda y sudorosa, se levantó de la cama de un salto, llegó hasta el baño y, en lugar de elegir sólo un pulsador, como tantas otras veces, oprimió de un manotazo los tres interruptores que regulaban otros tantos focos halógenos, feroces, la intratable iluminación cenital del espejo. Mantuvo los ojos bien abiertos todo el tiempo, ya no había motivo para mirarse en la penumbra, favorecida por la escasa luz lateral y el parpadeo de unas pestañas indecisas. Ahora necesitaba todo lo contrario, y más que verse bien, verse destruida. Decidió que era así precisamente como estaba. Tenía delante el cuerpo fofo, añoso, de una mujer de cuarenta y seis años, los pechos caídos, el vientre dilatado, venas varicosas en las piernas y caderas a punto de derrumbarse. Su sonrisa se amplió hasta adquirir las proporciones de una mueca forzada mientras su mano derecha se cerraba en el aire, y entonces lo dijo bien claro, en voz alta, mañana vuelvo a comer.

Dejé de comer a los quince años, ¿sabe usted? A los quince años empecé a alimentarme, a ingerir lo estrictamente necesario para ir tirando, verdura hervida, carne hervida, pescado hervido, vida hervida... Y todo por amor, que ya es triste, lo imbéciles que podemos llegar a ser las mujeres, pero es que aquella tarde, yo no sé si usted lo en-

tenderá, pero aquella tarde, jugando a la botella, yo creía
que me moría, que me moría de pena, y de asco, y de ganas
de Andrés...

Una botella de color miel, que apenas quince minutos antes había contenido un litro de cerveza Ma-
hou, daba vueltas y vueltas sobre el piso de cemento,
sin rozar siquiera los pies de la veintena de adolescentes bronceados que, sentados en el suelo, formando
un corro, la miraban sin pestañear, en sus rostros
cierta juvenil ansiedad. Allí, un poco apartada porque
le daba vergüenza cruzar las piernas a lo indio, igual
que los demás, estaba también ella, Malena, quince
años recién cumplidos, ciento setenta y tres centímetros de altura, ochenta y dos kilos de peso, una
auténtica vaca. Llevaba un traje suelto de algodón
amarillo, con un bordado diminuto en el delantero
y un canesú muy marcado, que sus amigas encontra-
ban gracioso porque parecía un modelo pre-mamá.
Era un modelo pre-mamá, el último recurso, aunque
ella se habría dejado ahorcar antes que confesarlo. No
conocía tortura más atroz que salir de compras, ni
milagro más auténtico que una falda de su talla, y tan
sólo un par de semanas antes, su madre, una mujer
muy hermosa, se había echado a llorar al contem-
plarla desnuda en el ambiente más hostil —un diminuto probador de El Corte Inglés— mientras ella se
embutía a presión en un bañador negro, con aros en
el pecho y refuerzos en las caderas, que finalmente

habían encontrado en el último rincón de la planta de señoras, ¡PROMOCION ESPECIAL!, TURISMO PARA LA TERCERA EDAD, ANIMESE, MUJER. LA VIDA EMPIEZA AHORA... Su madre lloraba y ella, el bañador encajado sólo a medias, los tirantes enrollados sobre la cintura y la lengua fuera, por el esfuerzo, la miraba sin entender muy bien lo que pasaba. Pero, mírate bien, hija mía, había escuchado al final, entre sollozos, pero si parece que tienes cuarenta años...

Luego, cuando la brusca pérdida del aire acondicionado, el asfalto ardiendo bajo las suelas de esparto, hizo aún más irrespirable para ambas el sofocante aire del junio madrileño, su madre volvió a la carga con lo de siempre, ponte a régimen, hija, todavía estás a tiempo, al fin y al cabo eres una niña, luego te costará mucho más trabajo, hazme caso, por favor, Malena, vamos a un médico... Ella se había hecho la sueca, como siempre, pero no se había atrevido a pedir un helado de chocolate con trocitos de chocolate en cucurucho de chocolate, su favorito, porque la crisis materna parecía más profunda que otras veces. Y ahora estaba allí, sentada en el suelo del garaje de Milagros con las piernas estiradas, escrutando ansiosamente la dirección que tomaba la boquilla de la botella de cerveza, el signo de un azar que parecía haberse encoñado sin remedio con Andrés, aquella tarde.

Se detuvo una vez más a sus pies, y el corazón le dio un vuelco, porque le tocaba, esta vez le tenía que tocar, no había discusión posible. Las reglas del juego prohibían repetir beso, y Andrés ya había besado a las otras siete chicas de la pandilla, de la más guapa a la más fea, con la única excepción de Milagros, que era la novia de su hermano mellizo y hasta ahí podíamos llegar, así que ahora le tocaba a ella, sólo quedaba ella, y sin embargo, y sin ningún titubeo, él eligió a Silvia por segunda vez. Alguien protestó, es que ya no queda ninguna más, explicó él, claro, es verdad, los demás le dieron la razón y ella no se atrevió a decir nada, porque nadie la miraba, nadie la mencionaba, nadie parecía darse cuenta de que aún quedaba ella, intacta, sola, muda. Andrés tomó la mano de aquella escueta versión de tradicional calientapollas mística que tan locos parecía volverles a todos, y se la llevó a un rincón para besarla. Ella aprovechó la escena para escurrirse sin ser vista, y abandonó el garaje. Pasó toda la tarde mirando al río, sentada en una peña, meditando, y cuando llegó a casa, mucho antes de la hora límite, encontró a su madre en el porche, haciendo ese puzzle que no se acababa nunca. He decidido ponerme a régimen, mamá, dijo solamente. Ella le sonrió, la abrazó, y le habló bajito, ya verás como todo sale bien, ya lo verás, qué guapa te vas a poner, Malena...

Así que por fin fui a Madrid con mamá, a ver a un médico, un endocrino muy joven que me miró a la cara con expresión de lástima y me lo dijo bien claro: mira, hija, tu problema es que eres una gorda congénita. Te voy a poner un régimen muy duro. Si lo haces a rajatabla, adelgazarás, y te quedarás con buen tipo, eso seguro. Pero tienes que cambiar de mentalidad, y de manera de vivir, porque no es que tengas un índice metabólico negativo. Es más bien que, prácticamente, tu organismo carece de metabolismo basal, reina, ya puedes ir haciéndote a la idea...

El mejor día era el domingo, porque incluía un tercio de Coca-Cola con un suizo relleno de jamón de York a media mañana, y medio tomate crudo, con un cuarto de pollo asado y una manzana de comida, no estaban mal los domingos, no. Pero los martes y los sábados sólo podía comer fruta, y de cena, todas las noches, verdura hervida sin sal de primer plato. Y sin embargo, lo hizo, cumplió con el régimen a rajatabla, sin flaquear jamás, y adelgazó, le costaba trabajo creérselo, pero estaba adelgazando, se pesaba todas las mañanas después de ducharse con un gel anticelulítico fabricado a base de algas que impregnaba su piel de un aroma apestoso, y cada día la aguja de la báscula tardaba un poco menos en detenerse sobre la cifra, cada día un poco más baja. Los demás aún no se daban mucha cuenta, todavía no, porque aún llevaba la misma ropa, los mismos vestidos de pre-mamá, los mismos bañadores de postmenopáusica, pero ella caminaba todas las tardes durante media hora, desafiando al sol más cruel, para acelerar el ritmo de la digestión, y se miraba desnuda en el espejo todas las noches, envolviéndose luego en la cortina de tela roja, brillante, ciñéndola a su cuerpo como si fuera un traje de noche para saborear una cintura inédita, una tripa que prometía volverse plana, unos pechos que destacaban por fin nítidamente sobre un estómago tras el que, con un poco de esfuerzo, podía vislumbrar hasta la silueta de sus propias costillas, esas tenaces desconocidas. Todo esto hacía, y se aguantaba el hambre, que no era insoportable, todavía no, porque aún estaba fresco en su memoria el último festín, la despedida, cuatro ensaimadas, dos tabletas de chocolate con leche y almendras, una lata de sardinas en tomate y medio bote de leche condensada, la descabellada merienda que se había zampado en veintiséis minutos exactos, justo la tarde previa al comienzo del régimen, después de que Andrés, tras recibir la noticia de su heroica decisión, le pagara con una novedad aún más sorprendente, el lunes me voy a la mili, ¿sabes?, a Ceuta, voluntario...

Al principio pensé que así sería mejor, porque cuando él volviera de la mili, yo ya estaría imponente, espléndida, hecha una sílfide, vamos. Porque... ¿quién habría podido suponer que él fuera a dedicarse a hacer el imbécil de esa manera? Y fue entonces, mientras Andrés estaba en el hospital, cuando empecé a pasar hambre, un hambre horrorosa, tremenda, mortal, aquello era el infierno, señor juez, el infierno, una tortura que nadie puede imaginar siquiera...

Bueno, la verdad es que sílfide, lo que se dice sílfide, no estuvo nunca. Delgada sí, pero siempre dentro de los límites tipológicos de la jamona nacional, estampa mediterránea, como un viejo anuncio de aceite de oliva. Y comprendió enseguida que aquello no tenía solución, porque no había transcurrido ni siquiera un año y medio desde el principio de su tormento cuando se atrevió a traspasar por fin las puertas del templo de la felicidad suprema, una *boutique* presidida por una gigantesca foto de Twiggy, el sofisticado calabozo donde escucharía nuevamente la sentencia a la que creía haber escapado para siempre, lo siento, pero no tenemos talla para ti...

El pavimento de la calle Serrano sobrevivía milagrosamente a la potencia de sus pisadas mientras ella se concentraba en invocar una muerte cruel, cualquier interminable agonía dolorosa, para la desteñida dependienta de talla 36 que se había atrevido a mirarla con cara de lástima. Mejor la lepra, pensaba, cuando el inconfundible aroma de los *croissants* recién hechos la paralizó en medio de la acera. Miró a su derecha para encontrar la esencia del bienestar resumida en una vitrina, el escaparate de una pastelería de lujo desde el que la virtud y el pecado, el infierno y la gloria, la tentaban con pareja insistencia. Ahora entro, y me compro una palmera glaseada, y voy, y me la como, se dijo, y no ocurrió nada. ¿A que entro, y me compro una palmera glaseada, y voy, y me la como?, repitió en voz baja, pero no se movió, se quedó parada en la acera, apurando el aroma de la mantequilla sobre el hojaldre recién tostado hasta que el hechizo se desvaneció por completo. Luego se metió en el metro y se marchó directamente a casa, muy satisfecha de sí misma, pensando en Andrés, saboreando de antemano el triunfo que algún día sería definitivo.

Quizá fue esa misma tarde cuando Milagros la llamó por teléfono para contarle con pelos y señales la tragedia del soldado voluntario. No te lo vas a creer, anunció antes de empezar, y la verdad es que a ella le costó trabajo aceptarlo, digerir la inconcebible hazaña de aquel idiota.

—Mira, hija, lo que pasó es que, por lo visto, cogieron a un novato, le desnudaron, le amarraron los brazos a una columna, y se lo dijeron allí mismo, hasta que no te empalmes, no te soltamos, rico... Pero como Andrés es gilipollas perdido, por mucho que te guste, Malena, y aunque vaya a ser mi cuñado, es que ese chaval es gilipollas, en serio, pues no se le ocurrió otra cosa mejor que dejar al tío calzado y con los pies libres, total, que cuando se acercó un poco, el otro le arreó una patada en el hígado con la bota reglamentaria que le tiró al suelo... Bueno, al suelo no, porque le paró el mango de una fregona, que se le clavó en la espalda. Cayó de lado, se le disparó la pistola y se hirió en el pecho. Está en un hospital militar, medio muerto. Si sale, tiene para largo...

Cuando colgó el teléfono, bajó corriendo a la ca-

84

lle y se compró una palmera glaseada en la panadería de la esquina. La engulló en tres mordiscos y se echó a llorar.

Y yo no sé por qué, no entiendo lo que me pasaba, pero a medida que aquel cretino se iba enredando en todas las estupideces posibles, yo tenía cada vez más hambre, y no podía comer, no podía, ¿comprende usted?, hasta que él volviera, y no volvía, estaba demasiado ocupado en trabajarse el Guiness, el récord de individuo más tonto de todos los tiempos, fue entonces cuando empecé con lo de las manías sustitutorias, es difícil de explicar, usted a lo mejor no lo entiende, pero yo me consolaba...

Andrés no murió. Salió del hospital bastante mal parado, con un eterno programa de rehabilitación por delante, pero vivo. Mientras tanto, ella había empezado ya a asignar un sabor y un olor determinados a cada persona, y se esforzaba por recordarlos con precisión cada vez que se tropezaba con cualquiera de sus portadores. Su madre sabía a tarta de limón con merengue tostado por encima, su padre a callos recién hechos y un poco picantes, su hermano mayor a besugo asado a la espalda, con mucho ajo... La ilusión se suspendía solamente los martes y los sábados a la hora de comer, porque ella había conservado el hábito de tomar solamente fruta durante esos días y, sobre todo en invierno, cuando no había más que naranjas, mandarinas, peras y manzanas —los plátanos y las uvas engordan—, era demasiado duro masticar la pulpa aburrida y fría, estando rodeada de un festín viviente.

No engordaba o, si acaso, lo hacía muy lenta, imperceptiblemente. Empezó la carrera y empezó a obtener ciertos frutos de su perseverancia. Al principio estaba muy sorprendida, porque ella seguía viéndose a sí misma como una chica gorda, poco atractiva, la virgen de la botella todavía, pero con el tiempo y la terquedad de las miradas masculinas, se acabó acostumbrando a formar parte de la nómina de las alumnas académicamente deseables, y algunas de sus compañeras empezaron a chismorrear que sacaba buenas notas solamente porque era guapa. La verdad es que a ella le daba igual lo que contaran, porque al fin y al cabo nadie podría decir jamás que su belleza no tenía mérito.

Lo tenía, y mucho, porque la delgadez ya no era una novedad y el hambre se hacía cada vez más intensa, y cada vez era más difícil aplacarla con los alimentos permitidos, que no sabían a nada ya, como si se hubieran desgastado después de tantos años de repetición constante. Pensaba en la comida cuando estaba despierta, soñaba con la comida cuando estaba dormida, la miraba, la olía, la añoraba, la quería, todos esos alimentos maravillosos, pesados, consistentes, dulcísimos, y las salsas, sobre todo las salsas... Durante algún tiempo, el proyecto de ir a Ceuta para ver a Andrés con la torpe excusa del Paso del Ecuador

—*¡Malena, hija, piensa un poco!,* intentaba desanimarla Milagros, *cómo se va a creer nadie que todo el tercero de Químicas de la Complutense se vaya de viaje de estudios a Ceuta, ni más ni menos que a Ceuta, por Dios... ¡Eso no se lo traga ni el más tonto del norte de Africa, por más que ése sea precisamente mi cuñado!—* mantuvo intactas sus fuerzas. Sin embargo, su amiga acabó saliéndose con la suya. Cuando ya estaba a punto de sacar los billetes, la llamó para informarla de que las molestias que sentía Andrés desde su salida del hospital se debían a que alguien se había dejado un bisturí en el interior de su estómago, de modo que él ingresó de nuevo, y ella se volcó en el estudio con la esperanza de reencontrarle por fin al terminar la carrera. La herida de Andrés se infectó contra todo pronóstico, forzando una nueva hospitalización, la tercera. Malena andaba preparando ya los finales de quinto cuando él se marchó de Ceuta disparado, con el alta clínica en la mano, jurando no poner nunca jamás la punta de un pie en tierra africana, pero no volvió, tampoco entonces volvió. Su padre, que era notario, le pagó un viaje al Caribe, necesitaba unas vacaciones. Ella también, así que se fue a Roma con el resto de su promoción, a festejar su flamante licenciatura.

Una tarde, a la hora de comer, mientras sus despreocupados compañeros se inflaban de *cotechini caldi* —esos deliciosos salamis que se comen cocidos— en un restaurante piamontés del Quirinal, ella se sentó en una terraza, ante la fachada de Santa María Maggiore, que juzgaba un escenario adecuadamente severo, y pidió un té sin azúcar para consumir el sobre de preparado proteínico granulado con aspecto de polen que constituiría su única ingesta de alimento de aquel día. Entonces se le acercó un hombre moreno de unos veinticinco años, con los labios tan finos, la nariz tan grande, las manos tan huesudas, que ella le adjudicó sin dudar un sabor estrella, *magret* de pato con salsa agridulce de ciruelas como mínimo. Parecía romano, pero era escocés. Se llamaba Aleister. A mí tampoco me gusta la comida italiana, le confesó con un guiño, ¡donde esté un buen pastel de cordero hervido con salsa de menta...!

Pues me casé con él, ya ve usted qué tontería. Claro, como Andrés no tuvo mejor idea que largarse a Cuba para seguir haciendo el canelo en el Nuevo Mundo, pues yo fui, y me casé con Aleister. Total, me dije, teniendo en cuenta lo asquerosa que es la comida que le gusta, no voy a tener muchos problemas. No contaba yo con el cordero asado, ni con las carnes rojas, ni con esa birria de acento que tenía el pobre, que me llamaba Madalena, como a los bollos, que a veces llegué a pensar que lo hacía sólo para mortificarme, porque, hay que ver, ponerme a mí un nombre comestible, a quién se le ocurre...

Y pese a todo, a la vuelta de Roma empezó una buena época para Malena. Encontró trabajo en el laboratorio de una multinacional de comidas preparadas y emprendió una ardiente correspondencia con su novio, que desde allí, en Aberdeen, parecía confirmar su exquisito sabor. Pero la clave de su serenidad residía en un hallazgo muy distinto, porque fue entonces, después de tantas aproximaciones frustradas, tentativas erróneas y descorazonadores fracasos, cuando Malena encontró por fin lo que andaba buscando, todo un recurso para sobrevivir.

Una tarde, cuando sacaba de la nevera un bote de leche condensada con expresión compungida y la intención de preparar la merienda de su padre, uno de sus hermanos pequeños tropezó con ella y estuvo a punto de tirarla al suelo. Al intentar recuperar el equilibrio, Malena metió sin querer un dedo hasta el nudillo en la dulce crema blanca, fría y suave, espesa, y experimentó una sensación deliciosa. El sabor de la leche condensada, la última dosis devorada a hurtadillas y sin remordimientos, conquistó en un instante su memoria, inundando su boca de placer. Desconcertada, se llevó el bote a su cuarto y probó con toda la mano, la introdujo entre las paredes de lata hasta la muñeca, y luego la extrajo lentamente, para ver cómo las gotas se desprendían de la punta de sus dedos y se zambullían en el interior, con un sordo gorgoteo. Repitió esta última acción varias veces y después, tomando precauciones para no mancharse, levantó la mano empapada y se embadurnó completamente la cara. Permaneció así mucho tiempo, respirando, sintiendo, disfrutando del placer prohibido hasta que la piel le empezó a tirar, como cuando llevaba puesta una mascarilla. Se lavó a conciencia con agua fría y sonrió. Aquella noche no cenó, no tenía hambre. A cambio, se regaló un gin-tonic y medio.

Desde entonces, Malena se esforzó por reemplazar el sentido del gusto con los otros cuatro sentidos corporales. Primero fue el tacto, la asociación más inmediata, un proceso que se articuló en diversas etapas, de los festines más simples —hundir las manos en una cacerola llena de ensaladilla rusa— hasta los más barrocos —sumergirse completamente desnuda en una bañera alfombrada de espaguetis tibios con mucha mantequilla. Después, cuando Aleister se instaló en Madrid y empezó a comportarse de aquella manera tan desconsiderada, insistiendo siempre en ir a cenar al mismo restaurante, donde él solito devoraba la mitad del más deseable de los corderos recién asados, compartiendo además con ella, sin su permiso, la sempiterna ensalada verde que solía pedir como plato único, la experimentación del tacto ya no fue bastante, sobre todo cuando se enteró de que Andrés acababa de ser juzgado en La Habana por un tribunal revolucionario que le había impuesto una módica condena de diez años y ocho meses de cárcel por complicidad en la fuga de ciudadanos cubanos con destino a Miami. Fue Milagros quien se lo contó por teléfono.

—Pues nada, hija, que por lo visto a Andrés se le cruzó una mulata que lo dejó como tonto, bueno, como tonto no, quiero decir más tonto, y él venga darle el coñazo, que si no sabes cómo te deseo, que si acuéstate conmigo y te sacaré de aquí, que si esto, que si lo otro, que si lo de más allá, y ella nada, claro, ella, a la vista del percal, se limitó a esperar una oportunidad, y una tarde le dijo: mira, galleguito, tú te vas esta noche a la playa tal, a tantos kilómetros, y en tal sitio te encontrarás con un montón de gente junto a una barca. Tú sólo tienes que acercarte, decir que vas de mi parte, y cobrarles la misma cantidad de dinero a todos ellos. Cuando lo tengas, ven a buscarme. Te estaré esperando detrás de las dunas, desnuda y ardiendo de pasión... Total, que lo demás te lo puedes imaginar. Lo que salió de detrás de las dunas fue la policía de fronteras, y el final ya te lo sabes, diez años a la sombra, nada, un poco caro que le ha salido el polvo al chico, sobre todo porque no llegó a echarlo, claro está...

Esta vez cuando colgó el teléfono no lloró. Decidió, simplemente, casarse con Aleister. Luego fue a la nevera y sacó un paquete alargado, envuelto en papel de plata, se encerró con él en el cuarto de baño y se cubrió la cabeza con un gorro de plástico. Después, sola ante el espejo, abrió por fin su botín para enfrentarse a dos grandes morcillas de cebolla. Aplastó una con la mano derecha, oprimiendo con las yemas de los dedos el pellejo de tripa hasta que estalló por varios sitios, dejando al descubierto la sanguinolenta amalgama de sangre y tocino que se untó por toda la cara. Unos segundos después, se quitó la blusa y repitió el proceso con la otra morcilla, que deshizo

91

esta vez con la mano izquierda para extender luego cuidadosamente su contenido sobre su propio pecho. Un diminuto pedazo de grasa blanca se quedó prendido en uno de sus pezones. Lo miró sonriendo, y entonces, los ojos cerrados, descubrió las sorprendentes propiedades saciantes del olor de las vísceras y los embutidos de carne de cerdo. Algunos minutos más tarde, mientras se duchaba, decidió que su viaje de bodas inauguraría la era del olfato. Y así fue.

En fin, que mi matrimonio fue un desastre, ya se lo puede imaginar usted. La luna de miel, en cambio, marchó muy bien, porque estuvimos en Grecia, que es un país maravilloso, tan bonito, tan vivo, tan divertido, y allí fui casi feliz. Como tienen la costumbre de especiar mucho la comida, mi nariz ya estaba ahíta cuando me sentaba a comer unas hojas de parra hervidas con un poco de vino blanco, que tampoco estaban mal, la verdad, sobre todo por la novedad, como nunca las había comido antes... Y Aleister se tuvo que aguantar con la carne picada, ¡ja!, eso fue lo mejor, que no hay bueyes en Grecia, anda que no me reí yo, y claro, como estaba muerto de hambre, pues le daba por las siestas pasionales, y todavía sabía a magret de pato, todavía me gustaba, ¿sabe...? Pero luego volvimos aquí y descubrió las fabes con almejas, y todo fue de mal en peor, hasta que empezó a saber a porridge *de la semana anterior, y luego tuvo aquel ataque de ácido úrico y se hizo vegetariano...*

Fue a raíz de la enfermedad de Aleister, aquella terrible crisis que ella no podría olvidar jamás, su marido lívido, tieso, inmóvil, los ojos fuera de las órbitas, las manos destilando sudor, las venas a punto de explotar, cuando la gula de Malena conquistó el sentido del oído. Todo empezó aquella noche, una cazuela de fabes con almejas, y dos kilos de solomillo de buey al carbón, y una ambulancia, y la incredulidad del médico de guardia al revisar las cifras de los análisis de urgencia, que ordenó repetir una vez, y otra, y otra, antes de convencerse del todo, y el tratamiento posterior, mil calorías diarias, un filetito de ternera blanca a la plancha cada quince días, y gracias. Al principio ella se puso muy contenta, quiso creer que el régimen de Aleister salvaría su matrimonio, pero se equivocaba de medio a medio porque, y sólo entonces lo comprendió por fin, su marido nunca había estado enamorado de ella. El amor es la única razón que logra hacer soportable una dieta de adelgazamiento, Malena lo sabía muy bien, y Aleister no la amaba. Por eso se volvió triste, gris, callado y taciturno, y finalmente, incapaz de soportar las medias tintas, se hizo vegetariano, adoptando el régimen que le conduciría, lenta, mas inexorablemente, a la más irrevocable impotencia.

Pero una mañana, mientras él se preparaba una ensalada, Malena descubrió un ruido crujiente, placentero, indudablemente alimenticio. Se acercó y se quedó absorta contemplando a su marido, que cortaba un manojo de rabanitos rojos en finísimas láminas transparentes. Aquella tarde, cuando se quedó sola en casa, siguió el plan previamente trazado y cocinó una gran cazuela de hígado encebollado, muy especiado, para hundir después la cara en su interior, aspirando el delicioso olor del guiso con la cabeza cubierta por una toalla, no fuera a desperdiciarse ni una pizca del aroma, pero luego, cuando hubo comido un pedacito de carne y tirado el resto a la basura, no se resistió a escoger un cuchillo afilado para probar con una lombarda bien tiesa. Sus oídos se llenaron entonces de un magnífico sonido capaz de alcanzar su paladar, una sensación que llegó a hacerse familiar, porque en los días sucesivos repitió el experimento con diversos materiales, y apreció sobre todo la sonora muerte de los merengues recién cocidos, los pescados a la sal, y el cochinillo asado bajo una gruesa capa de grasa dorada, definitivamente irresistible al quebrarse.

Pensaba en Andrés sólo de vez en cuando, y con el paso de los años, absorbida por sus propios problemas y la penosa tarea de convivir con Aleister, perdió la cuenta de su cautiverio. Mientras tanto, la crueldad de su cuerpo para con su apetito aumentaba progresivamente, y cada vez le costaba más trabajo mantener la línea comiendo comida de verdad, así que se acostumbró, casi sin darse cuenta, a ingerir exclusivamente las porquerías dietéticas que venden en las farmacias, batidos que saben a polvos de talco, sopas que saben a polvos de talco, chocolatinas que saben a polvos de talco, galletas que saben a polvos de talco... En compensación, frecuentaba vicios cada vez más perversos, que casi siempre requerían el cuarto de baño como escenario, porque eran vicios sucios en sentido literal. Su favorito era derramar muy despacio una gran jarra llena de salsa de chocolate caliente sobre sus ingles, mientras permanecía recostada en la bañera con las piernas abiertas, contemplando cómo dos pequeños riachuelos marrones, fluidos y brillantes, resbalaban sobre su piel, contagiando su vientre de calor, como cuando Aleister todavía sabía a magret de pato.

Y ella sólo quería recuperar aquel sabor, recuperar a Aleister, no matarle, como sugirió él al expirar, sino todo lo contrario, devolverle un poco a la vida, por eso volvió a montar la barbacoa y le regaló un kilo de chuletones de Avila, él se puso muy contento, se le iluminó la cara, sonreía como un niño satisfecho, es tu cumpleaños, le animó ella, vamos, que un día es un día, no va a volver a pasarte nada... Sus palabras resultaron proféticas, porque no volvió a pasarle nada, pero nada de nada, en efecto, se quedó tieso justo después del postre. Malena no le lloró mucho, pero tampoco llegó a inquietarse por la noticia que Milagros le deslizó en el oído durante el entierro, un instante después de que ella lanzara el primer puñado de tierra sobre la caja.

—Esto sí que es gordo, tía, pero bien gordo, en serio, la muerte de la birria esta de escocés al lado de la movida que ha organizado Andresito en Miami es

un juego de niños, pero de niños muy, muy pequeños, en serio... Figúrate que esta vez, nada más de-
sembarcar en Estados Unidos, lo que se le ha cruzado
es un mulato, como lo oyes, un maromo de un metro
ochenta, ya ves tú, a estas alturas, si es que, de verdad, lo de mi cuñado no es normal, Malena, hija, que
no... Una crisis de orientación sexual que tuvo en la
cárcel, por lo visto, la criatura, con treinta y ocho
años y tiene dudas, si será gilipollas, lo que yo te
diga... Total, que lo mismo que en La Habana, que si
te deseo, que si te necesito, que si eres el primer hombre de mi vida, que si no me aceptas me mataré. Y
el otro pues nada, lo mismo que la cubana, que hay
que ver, parece mentira que existan racistas en este
mundo existiendo Andrés... Toma este paquetito, cariño, le dijo, métetelo en el bolsillo y llévalo esta noche a tal esquina de tal avenida con tal avenida,
donde te estará esperando un señor pelirrojo que te
soltará un montón de pasta en cuanto que se lo en-
tregues. Cuando tengas las pelas, ven a buscarme, que
estaré en casa esperándote, y haciendo pesas sólo para
ti... Te imaginas lo que pasó, ¿verdad? La policía. Bri-
gada Especial de Narcóticos. Y nada, medio kilo de
heroína llevaba en el paquetito el amor de tu vida,
una tontería. Le han caído otros diez años de trabajos
forzados en un penal de Wisconsin, para ir viendo la
hora...

Así que me quedé viuda con treinta y cinco años y un

tipazo, eso sí, pero ya me contará para qué me ha servido todo esto. Porque no dejé nunca de esperar a Andrés, ni cuando me enteré de lo del mulato aquel —Perry, se llamaba, ya ve usted, qué horterada de nombre— ni nunca, es que, sencillamente, no pude, no conseguí enamorarme de otro, ni siquiera después de encontrarme con el chico del supermercado...

Vicente, que la había conocido siendo todavía un niño, cuando acompañaba a su madre en la caja los fines de semana, la miraba con la misma expresión que habría adoptado si ella se le hubiera aparecido como la Virgen María levitando sobre una nube. Malena repitió su oferta, ¿seguro que no te apetece ganarte cinco mil pesetas? El movió entonces la cabeza afirmativamente, de arriba abajo, en un gesto automático, como si alguien hubiera pulsado un resorte al margen de su voluntad. Entonces, siéntate y come, sentenció ella, ocupando una de las cabeceras de la mesa engalanada, repleta de fuentes de comida recién hecha. El muchacho, diecisiete años, flaco, guapo de cara, previsible sabor a cacahuetes pelados y tostados con menos sal de la debida, la miró con cara de miedo antes de sentarse y empezar a comer. ¿Tengo que acabármelo todo?, preguntó a la media hora, tras haber engullido una ensalada mixta, un cocido completo, medio pollo asado y dos torrijas. Ella, que masticaba lentamente una rebanada de pan integral tostado, le sonrió abiertamente, y negó con la cabeza.

Estaba ahíta. Verle comer, estar simplemente ahí, mirándole, la había saciado más profundamente de lo que esperaba. Se acercó a él y le alargó el billete. Muchas gracias, dijo, verte comer me ha hecho mucho bien. ¿No tengo que hacer nada más?, preguntó él, incrédulo. No, nada más. Si quieres, podemos repetir el viernes.

Volvió el viernes, y el lunes, y el miércoles, y Malena se acostumbró a comer por su boca tres días a la semana, a alimentarse a través de él, y a divertirse haciéndolo, tanto que llegó un momento en que suprimió sus propias comidas —diversas variedades sólidas, líquidas y gaseosas de polvos de talco comestibles—, y se limitó a quedarse inmóvil, mirándole solamente, la barbilla apoyada sobre los puños, los codos hincados en la mesa, los labios entreabiertos en una honesta sonrisa de satisfacción. Vicente se sorprendió mucho por ese cambio de actitud, ella se dio cuenta de que la miraba raro otra vez, e intuyó su miedo. ¿Qué te pasa?, le preguntó un día, cuando la tensión se estiraba en el aire, y él contestó con un gesto, nada, pero ella insistió y obtuvo la verdad. No se ofenda, por favor, así empezó, prométame que no se va a ofender, eso lo primero, porque por nada del mundo querría yo que se enfadara conmigo... Es que, murmuró por fin, titubeando, yo creía que usted se masturbaba mientras me veía comer, ¿sabe...? Ya sé que suena rarísimo, pero hay gente tan rara por ahí, y a mí esas cosas me dan igual, se lo juro, yo creo que cada uno es libre de hacer lo que quiera...

Total, que ya me había hecho a la idea, y ahora..., ahora, como la veo todo el tiempo con las manos encima de la mesa, pues no sé, es que ahora ya sí que no la entiendo... No importa, le contestó Malena con dulzura, yo te pago para que comas delante de mí, no para que me comprendas.

Total, que aquí estoy, con cuarenta y seis años, el hombre más tonto del mundo en la cama, y un papelito blanco que me ha dado el médico esta misma tarde y en el que dice, poco más o menos, que me cambió el metabolismo hace un montón de años y por eso, aunque llevo tres meses comiendo como una cerda, no he engordado más que tres kilos. ¿Qué le parece? Bonito, ¿no? Toda la vida sufriendo para esto, por eso yo me mato, señor juez, yo esta misma noche me mato, yo ya no aguanto más, por mis muertos se lo juro que me mato...

En ese momento, Andrés se despertó y se quedó mirándola. ¡Qué buena siesta!, ¿sabes, gordita?, exclamó como todo saludo. Luego eructó un par de veces y le preguntó cómo le había ido en la clínica. Malena contestó vagamente que bien, no tenía ganas de darle explicaciones a ese memo, porque lo del médico había sido sencillamente horrible. Y eso que en realidad ella se esperaba algo peor, alguna enfermedad mortal, un cáncer, cualquier cosa, porque no se lo explicaba, no alcanzaba a comprender qué había pasado en los últimos tiempos. Desde su reencuentro con Andrés comía de todo, o mejor dicho, de todo no, sólo alimentos hipercalóricos en enormes cantidades, pero no había engordado apenas, dos kilos y novecientos sesenta gramos, cabía en la misma ropa, todo seguía igual, era increíble. Y entonces el médico le había salido con aquello del cambio metabólico, y ella se había echado a llorar como una cría, porque ahora ni vengarse de Andrés, ni de ella misma podía...

Mientras él se duchaba, Malena firmó la carta, la metió en un sobre, la guardó en un cajón, y pospuso vagamente su muerte para aquella misma noche, sin concretar una hora determinada, cuando volvieran de la fiesta de Milagros estaría bien, en cualquier momento, daba igual, al fin y al cabo no era tan complicado, una soguita enganchada en la lámpara, un saltito y adiós. Entró en el baño, ahora siempre potentemente iluminado, y se arregló con esmero, recordando que aquélla sería su última aparición en público. La verdad es que se encontró muy atractiva, y eso le fastidió, y que Andrés se quedara pasmado y le dijera aquello —¡estás guapísima!— al verla aparecer con su vestido largo de lentejuelas azul marino y el pelo recogido, le pareció aún peor, la más irritante contrariedad a la que puede enfrentarse una inminente suicida. Los piropos se multiplicaron cuando llegó a la fiesta que, en justa compensación, resultó sin embargo un coñazo insoportable. Mientras Andrés esperaba turno junto a la mesa de billar, ella se dispuso a saquear el buffet —que, dicho sea de paso, encontró desconsoladoramente pobre para ser el último—, y ya le quedaba poco para acabar con él cuando una delicada voz masculina susurró a sus espaldas una frase familiar, qué suerte, poder comer de todo y no engordar... Malena se volvió lentamente para encontrar la exacta réplica del Andrés que aún amaba y jamás poseería, un adolescente de cuerpo frágil y adorable, cuyos labios finísimos, apenas sugeridos, sostenían la tácita insinuación de un amante pérfido y experto, una promesa que bastó para desatar una incontrolable sucesión de escalofríos, calientes y helados a un tiempo, en el centro exacto de su columna vertebral. Iba completamente vestido de blanco, igual que el otro Andrés, el Andrés perdido de aquella tarde de besos y de lágrimas, la botella marrón girando sin parar sobre un suelo de cemento.

Tú tienes que ser Andresito, el hijo mayor de Milagros, el que estaba estudiando en Inglaterra, ¿verdad?, murmuró en voz baja, mientras sus piernas temblaban como si fueran columnas de gelatina. El mismo, afirmó él, y tú eres Malena, la novia de mi tío, ¿no? Ella también asintió, y le cogió del brazo para llevárselo a un rincón, sintiéndose apenas rozar el suelo, su cuerpo disuelto por la emoción, una sombra tenue, ligera como un fantasma. Estuvieron juntos toda la noche. Ella apenas habló. El le contó muchas cosas, acababa de llegar, no iría a la universidad, sino a la escuela de Arte Dramático, quería ser actor, no encontraba trabajo, no podía comer porque tenía una gran tendencia a engordar y en el cine nunca triunfan los gordos, además necesitaba sentirse en forma, no, no tenía novia, bueno, en realidad, no le gustaban las chicas... Malena lo escuchó todo sin pestañear, a Malena todo le daba lo mismo, ella sólo le miraba y sonreía, le tocaba y sonreía, hacía muchos años que no estaba tan contenta. La verdad es que me aburro bastante, dijo él al final, a modo de conclusión. Ella meditó un instante, le miró por el rabillo del ojo, bajó la vista, dudó otra vez, volvió a vacilar, le miró de nuevo, se decidió al fin. ¿Te apetece hacer una locura?, preguntó con voz ronca, los ojos brillantes. El estaba perplejo, no acertó a contestar. ¿A ti te gusta pecar?, insistió ella al cabo de un instante, aferrándole fuertemente por el brazo. Finalmente, él admitió que sí, que le gustaba.

Entonces Malena le arrastró hasta la calle, le metió en el coche y le llevó a su propia casa, sin detenerse a contestar ni una sola de sus preguntas. Abrió la puerta y, tras sugerirle que se metiera en el baño y se desnudara, para ir ganando tiempo, se encerró en la cocina y vació el congelador, que desde hacía tres meses estaba siempre lleno de platos cocinados, listos para servir tras una brevísima estancia en el microondas. Unos minutos después, se reunió con su invitado en el baño, transportando una bandeja llena de recipientes cubiertos con papel de plata que a duras penas consiguió depositar sobre el lavabo. Andresito estaba sentado en una esquina de la bañera, completamente vestido aún, y desconcertado también por completo. ¿Qué me vas a hacer?, preguntó con voz de susto, ya te he dicho que no me gustan las chicas. Yo no soy una chica, imbécil, contestó ella, soy... lo que se dice una mujer madura, y sólo voy a darte de comer, así que desnúdate y métete en la bañera, vamos.

Malena también se desnudó. Se puso un gran babero de plástico, fijó otro al cuello de Andrés, y a horcajadas sobre él, empezó con unos pimientos del piquillo rellenos de merluza, a ver, cariño, abre la boquita para mamá... Partía la suave piel roja con el canto del tenedor, maniobraba con delicadeza para ensartar en sus púas un pedacito de verdura con la correspondiente porción de relleno y, empapándolo en la salsa, lo introducía por fin en su boca, abierta, limpiando a continuación los labios tersos con la punta de una servilleta para repetir la operación después de ofrecerle un sorbo de vino. Ella no comía, no lo necesitaba, tenía bastante con mirarle, con beberse su sonrisa. El estaba cada vez más relajado y más congestionado al mismo tiempo, su cara progresivamente sudorosa, sus mejillas progresivamente encendidas mientras engullía todo lo que ella ponía en su boca, un pastel de espárragos con mayonesa, una taza de gazpacho, una *quiche lorraine,* un poco de lubina al horno, unas gambas con gabardina todavía calientes, un diminuto chorizo frito envuelto en una punta de pan, una pechuga fría de pollo asado, unas albóndigas de cordero con mucha salsa, tanta que resbaló desde las comisuras de sus labios para man-

103

char su pecho más allá del babero, pero todo daba
igual, él comía, era feliz, y ella recobró en un instante
la lucidez, y decidió que no se mataría nunca, que no
se suicidaría jamás, que lo primero que iba a hacer
era abandonar sin dolor a Andrés, y que después apu-
raría la vida hasta el final mientras siguiera teniendo
dientes, y absorta en sus pensamientos, permitió que
una cuchara llena de salsa, destinada a acompañar a
un trocito de venado dentro de la boca de su hués-
ped, cayera sobre el cuerpo de éste, que ya apenas la
miraba porque no podía mirarla, los párpados entor-
nados, los labios hinchados, la piel de las mejillas lí-
vida, casi transparente, agotada por el esfuerzo, y le
pidió perdón por su torpeza, pero él no contestó, y
fue entonces, mientras giraba el torso hacia fuera para
intentar rellenar la cuchara con una nueva dosis de
salsa de grosellas, cuando su vientre se llenó de calor,
y ella miró la bandeja con ojos de estupor purísimo
porque la salsa de chocolate estaba allí, intacta, no
habían llegado a los postres todavía, pero su cuerpo ardía, ardía de placer y ardía por dentro, y en
aquel instante comprendió. Miró a Andresito, que
basculaba imperceptiblemente, muerto de cansancio,
la piel de su estómago tirante, la mandíbula desen-
cajada, la barriga a punto de reventar, las piernas flo-
jas, moviéndose sin embargo hacia ella, dentro de
ella, y sólo entonces, cuando aún podía pensar, se
preguntó a qué sabría su inesperado amante, qué delicioso sabor tendría, y mientras se decidía a tomar la
iniciativa, cabalgándole apaciblemente, con la deli-

cadeza precisa para no poner en peligro su vida, se inclinó sobre su rostro y le besó, y a pesar de que el festín verdadero no había hecho nada más que comenzar, fue incapaz de hallar dentro de su boca un sabor distinto al de la saliva.

Bárbara contra la muerte

El tarro tenía cuerpo de vidrio esmerilado, y una tapa hermética de metal pintada de blanco. Más allá de sus paredes, marcadas por la aspereza de una pelusa grisácea —herencia de sucesivos fracasos, los lavados que no habían conseguido desprender del todo las huellas de la etiqueta adhesiva que identificó una vez su contenido—, se distinguían aún algunos restos de mermelada de moras, pequeñas gotas brillantes de color púrpura, como dicen que es la sangre de los negros, hacia las que trepaban los diminutos gusanos de cuerpo translúcido que saben caminar sobre muros de cristal.

El abuelo, que llenaba su mochila de mimbre con mucha parsimonia, levantó una esquinita de un envoltorio de papel de plata para confirmar que, en lugar del filete de ternera que había pedido, la abuela le había vuelto a preparar un bocadillo de queso, y tras emitir un templado juramento, hizo ademán de coger el tarro y reunirlo con el resto de los objetos hasta entonces desperdigados por la mesa, pero yo detuve su brazo a tiempo.

—Oye, abuelo —dije, arrebatándole suavemente el

recipiente de cristal donde se agitaban los viscosos hilos vivos—, ¿por qué no has dejado que la abuela lavara el tarro por dentro? Tiene mermelada, todavía...

El se encogió de hombros y ni siquiera me miró, como preguntándose qué demonios me importaría a mí todo aquello. Yo, al contrario que mis hermanos varones, nunca me había interesado por la pesca.

—Pues no sé... —contestó después de un rato—. Parece que les gusta. Pobrecillos, para lo que van a vivir, mejor que disfruten un poco, ¿no?

—Porque se los van a comer los peces...

—Con un poco de suerte... Eso espero.

Me besó en la sien —ese lugar tan raro donde sólo me besa él—, y giró sobre sus talones sin decir una palabra más. Estaba ya en el umbral de la puerta cuando eché a correr para alcanzarle.

—Oye, abuelo... ¿Puedo ir contigo?

—¿Tú, Bárbara? —Fruncía las cejas como un signo de estupor.

—Sí, yo —afirmé con la voz y la cabeza al mismo tiempo—. No he ido nunca.

—Bueno, si quieres...

Le seguí sin hablar por el camino salpicado de sombra. El viento soplaba a rachas para agitar las ramas de los chopos, que, cuajadas aún de hojas plateadas, me saludaban en su temblor como muchos brazos de señoras gordas y enjoyadas, blandas y felices, tan distintas de los famélicos esqueletos de madera que contemplaba en invierno tras las ventanas del colegio.

Siempre he pensado que el chopo es un árbol con mala suerte, todos los árboles que pierden la hoja en invierno me lo parecen, y casi puedo sentir el frío que ha mordido su corteza durante la noche cuando me levanto y descubro en su tronco las huellas de la última helada. Aquella mañana estaría pensando en eso, o en cualquier tontería por el estilo, cuando escuché a la madre Ana, eventual profesora de dibujo, que me llamaba casi a gritos desde la tarima. Volví la cabeza con los ojos bajos para encontrarla, su voluminosa figura envuelta en aquel hábito blanco que me daba tanto miedo, los brazos en jarras, el enfado pintado en los ojos y multiplicado por dos gruesas lentes bifocales.

—¡Ya está bien, Bárbara! Esta es la tercera vez que te llamo, andas siempre en la luna de Valencia... ¿Te pasa algo?

—No, madre, qué va... —contesté, ganando un tiempo que no fui capaz de invertir en una excusa convincente—. Es que Sócrates no se me da muy bien... —señalé vagamente la máscara de escayola que colgaba de un clavo, su barbilla rozando la pizarra—. Estaba mirando por la ventana.

—Siempre estás mirando por la ventana, hija mía, no sé qué misterio le encuentras al paisaje. ¡Si por lo menos fueras capaz de dibujar bien el patio...! Anda,

111

hazme un favor. Ve a mi despacho y tráeme una caja de tizas de colores. Están en el armario, nada más entrar a la derecha.

—Pero es que no sé dónde está su despacho.

—¿No? Ya... —Una niña de la primera fila se acercó a su mesa con un dibujo ya terminado, y ella empezó a corregirlo sin dejar de hablarme—. Es muy fácil. Sales al *hall*, coges el pasillo de la derecha, tuerces otra vez a la derecha después de pasar por las clases de Jardín de Infancia... Esta nariz no me gusta nada, Cristina, tendría que ser más afilada por aquí..., y a cambio más ancha por aquí... ¿lo ves? Bueno, Bárbara, pues eso, luego subes por las escaleras del gimnasio y, a la izquierda, abres una puerta blanca que da a un pasillo. La tercera habitación a la derecha es mi despacho.

Me levanté, y salí de clase convencida de haber memorizado correctamente el camino, porque ella dijo izquierda, tuvo que decir izquierda, por eso no le di importancia al amenazador letrero que distinguía la puerta cuyo picaporte empuñé con mano firme de la situada exactamente enfrente, ambas blancas, con cristales pintados de blanco, idénticas, se contaban historias terribles de aquella palabra maldita, peligrosa y oscura como un maleficio, pero yo no me fijé, no la leí apenas, porque ella había dicho izquierda, tenía que haber dicho izquierda, y atravesé el umbral sin vacilar para no hallar pasillo alguno, sólo un vestíbulo parecido al recibidor de una casa cualquiera, y allí, a una monja vieja, muy vieja y des-

112

conocida para mí, que se inclinaba con esfuerzo sobre las macetas de geranios, sosteniendo entre las manos una regadera de plástico. Tenía cara de hombre, como las brujas de las pesadillas, y creí poder escuchar cómo crujían sus huesos, tan torcida, tan decrépita estaba que al principio me dio pena, hasta que se volvió hacia mí, se me quedó mirando, sonrió para mostrarme sus encías negras, y me increpó con voz ronca, arruinada.

—Has entrado en Clausura. Nunca saldrás de aquí.

Al principio me limité a cabecear suavemente, atreviéndome a negar con la cabeza, la boca muda, mientras me decía a mí misma que aquello sería una broma, una simple y repugnante broma sin una pizca de gracia, *sois todas unas hijas de puta*, recordé, y pronuncié sin mover los labios ese horrible juramento, el ingenuo sortilegio al que me aferraba cada mañana —como se aferra un escudo, una espada, el legítimo instinto de sobrevivir— al entrar en el colegio, la torpe maldición que guiaba mis pasos de vuelta a casa, cada tarde, la fórmula que repetía en cada cambio de clase, casi insensiblemente, como una letanía o el canto de un preso bien amarrado a su cuerda, *sois todas unas hijas de puta*, y no era verdad, porque las había buenas, magnánimas, amables, yo quería de corazón a muchas de ellas, pero todas juntas daban vida al enemigo, y sólo se conjura a un enemigo con palabras

113

terribles, así que lo repetí para mí, por última vez, *sois todas unas hijas de puta* y yo no me voy a quedar aquí... Entonces ella me miró, una sonrisa terca en sus labios descarnados, ¿qué pasa, no dices nada...?, será que te gusta la idea, concluyó, y el pánico me devolvió la voz, y abrió mi boca para colocar en ella palabras desafiantes, por supuesto que saldré de aquí, dije, yo no quiero ser monja, yo quiero casarme y tener muchos hijos, ella rió al escucharme, una carcajada afilada, hiriente como una flecha que da en el blanco, pues claro que te casarás, hija, con el Señor, igual que yo, y habrá muchas niñas que te llamarán madre, todas las alumnas del colegio... Movió vagamente el brazo para designar el espacio que se abría a su alrededor, un reino tan mísero, y siguió hablando, pero yo ya no la escuchaba, cuando las tetas me crezcan del todo me compraré sujetadores de encaje transparente con flores bordadas de muchos colores, me decía, muy horteras, pero preciosos, y me pondré medias negras con una costura atrás, tan fina que sea casi imposible llevarla recta, y zapatos de tacón alto, altísimo, eso haré, me pintaré los labios de rojo oscuro, y tendré la piel muy suave y oleré bien, muy muy bien, como huele mamá ahora, y los tíos se desplomarán a mis pies, todos los tíos, y yo me portaré fatal con ellos, lo siento, pero eso es lo que voy a hacer, coquetear con todos a la vez, y luego, si no llega alguno que sea estupendo, pero estupendo del todo, de verdad, como los novios de las películas, escoger al que tenga un descapotable, rojo, si puede

114

ser, o amarillo, a lo mejor..., no, me apetece más ir en un descapotable rojo, con un sombrero, y un pañuelo de puntas muy largas enrollado en el cuello, y unas gafas de sol enormes, oscuras... Tuve que interrumpir aquel reconfortante discurso, el único artificio capaz de mantener la memoria del calor dentro de mi cuerpo, porque ella venía hacia mí, esgrimiendo el puño cerrado sobre su cabeza como el anuncio de una violencia más furiosa que los golpes, no volverás a ver a tus padres sino detrás de la reja, bramaba, serás monja de clausura, has entrado aquí por tu propio pie y no podrás salir, nadie ha salido nunca de aquí, sólo las monjas muertas, todo eso me dijo, y yo ya no pude responder, estaba muda, y notaba que los ojos me escocían... Las mayores contaban historias espantosas de aquellas pocas habitaciones prohibidas, la insospechada cárcel aislada como una isla en el centro de un moderno edificio acristalado, con carpintería de aluminio, laboratorio de idiomas y piscina cubierta, clausura, allí se lavaban con jabón Lagarto, yo lo sabía bien, tenían prohibido el jabón perfumado y dormían envueltas en camisones de arpillera basta, como la tela de los sacos de patatas... Sentí que una lágrima recorría mi mejilla al recordar el misterio del peso de mi amante, el tibio secreto contra el que me estrellaba todas las noches desde que vi los ojos húmedos de aquella actriz en una serie de televisión, y era una chica muy guapa, lista y fuerte, una persona con carácter, como diría mi madre, pero hacía el papel de una mujer abandonada, y por eso, a pesar de ser tan guapa, y tan lista, y tan fuerte, estaba todo el rato a punto de llorar, porque él se había marchado, y le contaba a una amiga que por las noches no podía dormir, eso era lo peor, que se le hacía de día con los ojos abiertos porque echaba de menos el peso de su cuerpo, y desde entonces, cada noche, yo doblaba la manta en tres y amontonaba encima la colcha, doblada igual, y me quedaba muy quieta, el embozo justo debajo de la nariz, sintiendo la presión de la tela sobre mi cuerpo, calculando cuál sería el peso de un hombre de verdad, mientras murmuraba muy bajito unas pocas frases deslumbrantes como un castillo de fuegos artificiales, las paganas oraciones que había aprendido en ciertas películas, ciertos libros capaces de arder, *vete, márchate si quieres salvarme, no debería ceder, pero el deseo es superior a mis fuerzas, apiádate de mí, si no conozco más vida que tú, tu amor es lo único bueno que me ha pasado en la vida, ¡mátame!, acaba conmigo ya, de una vez, pero ¿por qué no me matas...?,* recitaba aquello y sacudía levemente los hombros bajo las sábanas, como si los brazos de un dios me aplastaran contra la cama, y me quedaba dormida enseguida, pero ahora sentía la garra de aquella vieja clavándose en mi hombro y lloraba, ya sólo podía llorar, y ella parecía cada vez más furiosa, ¡desgraciada!, me gritaba, ¿por qué lloras?, si en el mundo no dejas nada, sólo locura y pecado, ¿qué lamentas?, y sus uñas se hundían en mi piel mientras gritaba cada vez más fuerte, si tú no eres nada, ¡nada!, y no serás nada, apenas un puñado de polvo, un banquete para los gusanos... Me zafé como pude y conseguí llegar hasta la puerta, pero ella, en un alarde de agilidad inconcebible, logró inmovilizar mi mano con la suya sobre el picaporte, váyase, chillé, déjeme, no me quedaré aquí, yo no, yo nunca seré como usted... Sus ojos centellearon al escucharme, eres mala, gritó, ¡mala y soberbia!, te crees guapa y eres joven, por eso me desprecias, insensata, entonces acercó su cara a la mía hasta que nuestras narices se rozaron, mírame, decía, mírame bien porque mis arrugas son la enseñanza más grande que jamás recibirás de nadie, mira mi cara, mis manos... ¿Sabes cómo se llaman estas manchas? Flores de cementerio, así se llaman, y apréndetelo bien porque muy pronto, mucho antes de lo que te imaginas, crecerán por toda tu piel como han crecido en la mía, y al rato ya no serás nada, sólo comida para los gusanos, que llenarán tu boca, y se pasearán por las cuencas de tus ojos, y se meterán debajo de tus uñas, y devorarán tu carne... Luego la presión de su mano se relajó, y se hizo al fin el silencio, y ya no escuché más que mi propio llanto, cerré los ojos para no verla y me resigné a morir sin haber llegado a saber nunca cuánto pesa un hombre de verdad, y quise morirme ya, cuanto antes, morirme antes que verme vestida de blanco, entonces oí el eco de unos pasos que se acercaban, y el picaporte giró bajo mi mano laxa, mientras una voz familiar repetía mi nombre con acento angustiado, al otro lado del cristal.

La madre Ana me recomendó que no le contara a nadie lo que había pasado.

—Al fin y al cabo, ha sido todo culpa tuya, porque yo te dije que mi despacho estaba a la derecha, a la de-re-cha, no a la izquierda. Además, la madre Pasión es ya muy mayor, ¿sabes? La pobrecilla no anda muy bien de la cabeza...

Yo no le di la razón en nada, pero tampoco le llevé la contraria, porque no llegué a abrir la boca en todo el trayecto. Estaba aterrada, tenía la piel de gallina y las piernas blandas, como si de un momento a otro, fueran a doblarse para siempre. Aguanté de milagro una sesión de latín y me fui a ver a la tutora, que también era monja y ya sabía todo lo que había ocurrido. Antes de que tuviera tiempo para pedírselo, me dio permiso para marcharme a casa sin esperar al cambio de clase, y lo único que me pidió a cambio fue silencio, ni una palabra a nadie, por favor te lo pido, Bárbara, ni una palabra. Me costó trabajo guardar el secreto —una aventura como aquélla habría disparado mi prestigio entre mis compañeras hasta niveles difíciles de imaginar—, pero al final decidí callar, ser discreta, como dijo la tutora, y no lo hice sólo por miedo —que aún lo tenía, y muchísimo—, sino también por mí misma, por no tener que recordar de nuevo, y creí haberlo conseguido, porque terminó el curso y empezó el verano, y el sombrío fantasma de la clausura se desvaneció entre mañanas de sol y tardes de sombra, mientras comía pipas con mis amigas encima de una tapia.

Ahora, también el verano terminaba. Sentada en una peña, al borde del río, echaba de menos un jersey y miraba al abuelo, que ensartaba hábilmente en un ganchito metálico los diminutos cuerpos de esos gusanos que no me parecían una amenaza, aunque el tarro de cristal donde se apiñaban a ratos para disolverse al instante en todas las direcciones, acaparara tercamente mis ojos.

—Oye, abuelo... —y cuando me lancé a hablar, ni siquiera sabía muy bien qué iba a decir después.

—Qué...

Estaba lanzando la caña al agua y no parecía muy dispuesto a la conversación, pero insistí con el acento grave que les suponía a quienes dicen las cosas en serio.

—¿Tú serías capaz de hablar conmigo como si yo no fuera tu nieta?

—¿Qué? —repitió, pero ahora se volvió para mirarme, sonreía.

—Quiero decir que si tú crees que podríamos hablar como si yo no fuera tu nieta, sino una mujer mayor.

La primera fase de su respuesta fue una gigantesca carcajada. Luego soltó una de esas exageradas ocurrencias que a la abuela la sacaban tanto de quicio y a mí, en cambio, solían hacerme reír.

—No me digas que te has quedado embarazada...

—No seas bobo —me reí un poco, a pesar de todo—. Estoy hablando en serio.

—Muy bien. —Recogió todos sus enseres, encajó la caña entre dos peñas y se sentó frente a mí, todavía risueño—. Dispara. Intentaré estar a la altura de las circunstancias.

Hice una pausa antes de empezar.

—¿Soy guapa, abuelo?

—Sí —me contestó despacio, mirándome—. Eres muy guapa para tener trece años.

—Y... ¿tú crees que seré guapa de mayor?

—Claro que sí. Lo serás, y más que ahora, porque la edad del pavo no favorece nada.

—Pero tengo los dientes separados...

—¿Y qué? Antes de ponérselos postizos, tu abuela también los tenía, y a mí me gustaba. Le cabía la lengua en medio, era muy graciosa.

—Pero se me escapa la saliva cuando hablo.

—Bueno, no creo que eso sea demasiado importante.

—Entonces, ¿tú crees que podré tener muchos novios?

—Si te interesa tenerlos, probablemente sí, los tendrás, aunque yo creo que con dos o tres tendrías bastante. Los novios son muy pesados, ya verás...

—¿Y qué les gustará de mí?

—¡Oh...! —fingió meditar—. Pues, seguramente, tus dientes separados.

—¿Y qué más?

—Bueno, eso no lo sé, creo que eso no se llega a

saber nunca. Pero de todas formas, te daré un consejo. Cuando emprendas tu carrera de mujer fatal, tira todos los chándals, no te los pongas ni para venir a pescar conmigo, hazme caso...

—Pero habrá cosas que no les gustarán.

—Desde luego —y rió de nuevo, con cierto escándalo, como si no pudiera seguir tragándose la risa por más tiempo—. La coquetería, por ejemplo. Como sigas así, vas a ser una frívola insoportable...

Entonces reí con él. Mi abuelo era cálido, bueno y sabio, y cuando me hacía caso, conseguía que me sintiera una persona importante. Sin embargo, aquella mañana seguí hablando en un susurro sordo, como el acento de la gente insegura.

—Y luego me haré vieja... ¿verdad? Me arrugaré, y engordaré, y me saldrán varices en las piernas, y los brazos se me pondrán blandos, blandos, como la gelatina Royal, y después me moriré, y me comerán los gusanos...

Me miró un instante como si yo le diera miedo, los ojos profundos, y casi llegué a verle asentir con la cabeza, emitir esa sentencia que luego desmintieron sus palabras dulces.

—No —me dijo—. Cuando se mueren, las niñas como tú van al cielo de los novios.

Sonreí, como si pudiera creer en aquella promesa, antes de recorrer hasta los rincones más polvorientos de mi memoria en busca de una palabra, una anécdota, un truco poderoso, capaz de invertir el sentido de aquella conversación, porque sólo entonces descubrí las manchas que habían brotado en sus brazos, en sus manos, en su cara, las flores de cementerio que se apoderaban de todo su cuerpo para que mi angustia perdiera de golpe cualquier valor. Intenté cambiar de tema pero no fue necesario, porque un lucio enorme eligió aquel preciso momento para morder el anzuelo, y al gusano que lo cebaba con él.

Mientras el abuelo luchaba contra un sedal demasiado tenso, metí la mano en la mochila y saqué el tarro, dispuesta por fin a llevar adelante el implacable plan que había concebido aquella misma mañana, mientras los gusanos se revolcaban, felices, entre los restos de mi antiguo desayuno.

Los estudié detenidamente y escogí uno muy gordo, que parecía preso en una reluciente mancha púrpura. Me costó trabajo atraparlo, y a punto estuvo de escurrirse entre mis dedos mientras intentaba sacarlo limpiamente de la estrecha boca de cristal, pero cuando ya lo aplastaba con firmeza entre mis yemas, levanté la mano hasta colocarlo a la altura de mis ojos, y sonreí.

—Si te crees que eres tú quien va a comerme a mí, vas listo...

Abrí la boca y lo mastiqué con decisión, negándome a cualquier asco en el instante triunfal, la victoria de mi cuerpo, carne dura y piel tirante asimilando la muerte. Entonces, por fin, el abuelo arrastró al lucio fuera del agua, y me lo enseñó, vivo aún, para que yo le devolviera una sonrisa satisfecha.

La venganza sabía a mermelada de moras.

Amor de madre

Reininghaus

EIN BIER SO WIE WIR.

Es ella, ¿no se acuerdan?, mi hija Marianne, la jovencita que está a mi lado en esta diapositiva, la misma... A ver, voy a quitarme de delante para que la vean mejor... Claro, si ya sabía yo que la recordarían, con la de disgustos que me ha dado durante tantos años, un quebradero de cabeza perpetuo, no se lo pueden ustedes ni figurar, o bueno, a lo mejor sí que se lo figuran, porque si no me hubiera tocado en suerte una hija así, no seguiría viniendo yo a estas reuniones, todos los lunes y todos los jueves, sin faltar uno, en fin... Y no saben lo mona que era de pequeña, pero monísima, de verdad, una ricura de cría, alegre, dócil, ordenada, obediente. Cuando era bebé y la sacaba en su cochecito a dar un paseo por la avenida, tardaba más de media hora en recorrer cien metros, en serio, porque al verla tan gordita, tan rubia, tan sonrosada..., en resumen, tan guapa, todas las señoras se paraban a admirarla, y le acariciaban las manitas, y le hacían cucamonas, y le mandaban besitos en la punta de los dedos, bueno, esa clase de cosas que se le hacen a los niños que se crían tan hermosos como ésta, que parecía un anuncio de

Nestlé, eso mismo parecía. De más mayorcita, en el colegio, hacía todos los años de Virgen María en la función de Navidad —pero todos los años, ¿eh?, no uno, ni dos, no se vayan a creer, sino todos todos, ¡yo me sentía tan orgullosa!—, y por las noches, cuando se quitaba la blusa del uniforme, me encontraba el cuello y los puños igual de limpios que cuando se la había puesto por la mañana, pero lo mismo lo mismo, blanquísimos. Mi Marianne no practicaba deportes violentos, no se revolcaba por el suelo, no se pegaba con sus compañeras, qué va, nada de eso. Era una alumna ejemplar, todas las maestras lo decían, tan simpática, tan abierta, tan sociable que, como suele decirse, se iba con cualquiera. ¡Quién nos iba a decir, a sus maestras y a mí, que con el tiempo, el principal problema de mi hija acabaría siendo precisamente ése, que se larga con cualquiera!

Al llegar a la adolescencia empezó a torcerse, ésa es la verdad. Antes de cumplir los veinte años, ya se había aficionado a montarme unas escenas atroces, y llegaba a ponerse como una fiera, en serio, chillando, pataleando, me hacía pasar unos bochornos espantosos, qué apuro, todos los vecinos la escuchaban, a mí me resultaba tan violento... Al final, cogía la puerta y salía sin mi permiso, gritando que ya estaba harta de que no la dejara hacer nada. ¡Nada! ¿Se lo pueden creer? Pues eso me decía, que no la dejaba hacer nada, y a mí me daba por llorar, porque... ¡qué barbaridad!, ¡qué ingratos pueden llegar a ser los hijos! Creo que fue entonces cuando empecé a permitirme alguna que otra copita, lo confieso, sé que no está nada bien, pero Marianne estaba ahí fuera, en la calle, rodeada de peligros, y yo no podía vivir, ésa es la verdad, que no podía ni respirar siquiera imaginando los riesgos que correría mi niña, sola entre extraños, en locales subterráneos, ese aire mefítico, cargado de humo, y de vapores alcohólicos, y del producto de los cuerpos de tantos hombres sudorosos, esas enormes manchas húmedas que sin duda exhibirían sus camisetas oscuras cuando levantaran los brazos para abandonarse a esos ritmos infernales, y las motos, eso era lo que más miedo me daba, que Marianne se montara en una moto, con la cantidad de accidentes que hay en cada esquina, y violadores, y asesinos, y drogadictos, y extranjeros, que no hay derecho, es que no hay derecho, desde luego, sacar adelante a un ángel para condenarlo luego a vivir en el infierno, para que luego digan que la maternidad no es un drama... En fin, que era un no vivir, les juro que era un auténtico no vivir, y fíjense que lo intenté todo, todo, para retenerla, pero ella se negó a seguir celebrando guateques en casa, como antes, decía que sus amigas no querían venir, con lo buenas que me salen a mí las mediasnoches, que les pongo mantequilla por los dos lados, qué ingratitud, y entonces me dejaba sola, y yo me tomaba una copita, y luego otra, y luego otra, hasta que oía el chirrido de su llave en la cerradura, a las diez, o a las diez y media de la noche, porque la muy desaprensiva nunca llegaba antes, qué va, y bien que ha sabido siempre que a mí me gusta cenar a las ocho y media...

Claro que lo peor todavía estaba por llegar. Lo peor no mediría más de un metro cincuenta y siete, tenía el pelo negro, crespo, largo, y una cara peculiar, despejada por los bordes y atiborrada de rasgos en el centro, como si las cejas, los ojos, la nariz, los pómulos y los labios —unos morros gordos, pero gordísimos, se lo juro, propiamente como los de un mono— se quisieran tanto que pretendieran montarse unos encima de otros, juntarse, apiñarse, competir por el espacio. Se llamaba Néstor Roberto, tocaba la trompeta —¡que era lo que le faltaba, vamos, con esa boca!, y había nacido en El Salvador. ¡Era salvadoreño! ¿Se lo pueden imaginar? ¡Salvadoreño! Y a ver, díganme ustedes..., ¿puede una madre europea conservar la calma cuando su única hija se lía con un salvadoreño? Naturalmente que no. Por eso le dije a Marianne que tenía que elegir. Y Marianne eligió. Y se fue de casa con el salvadoreño.

Durante los siguientes tres años, apenas la vi algún domingo a la hora de comer. Reconozco que mi vicio aumentó —me pasé al coñac, dejé de imponerme un límite diario, me enchufaba alguna que otra copa por las mañanas—, pero debo especificar, en mi descargo, que el vicio de mi hija empeoró mucho más intensamente que el mío. Después del salvadoreño, vino un paquistaní, tras el paquistaní, se lió con un argelino, y terminó abandonando a aquel moro por un terrorista —activista, decía ella, la muy lianta—

norteamericano del Black Power. El caso es que este último me sonaba bastante, y por eso me interesé por él, no fuera a ser atleta, o baloncestista, no sé, o músico de jazz, porque podría estar forrado de pasta, y eso significaría que mi hija no habría perdido del todo la cordura, porque, sinceramente, en cualquiera de esos casos, el color de su piel, siendo un detalle importante, pues tampoco... importaría tanto, las cosas como son, pero en qué hora se me ocurrió preguntar, Dios bendito, ¡en qué hora, Jesús, María y José me valgan siempre! No, mamá, me dijo Marianne, te suena porque hace unos años, cuando vivía en Nueva York, fue modelo de un fotógrafo muy famoso, ese que se ha muerto de sida... Yo no caía, y ella pronunció un apellido indescifrable, que sí, mujer, continuó, si es ese que ahora se ha puesto muy de moda porque le censuran las exposiciones... Cuando me enseñó las fotos —y eso que las iba escogiendo, que se guardaba en el bolsillo por lo menos dos de cada tres, como si yo fuera tonta—, bueno, pues cuando por fin vi aquellas fotos, creí que me moría, que me caía redonda al suelo creí, pero ella siguió hablando como si nada, sin comprender que me estaba matando, que yo me estaba muriendo al escuchar cada sílaba que pronunciaba. ¡No pongas esa cara, mamá!, eso me dijo, si las fotos son de hace mucho tiempo, de cuando vivía en América, y era homosexual, es cierto, pero ahora también le gustan las chicas. No te preocupes por mí, anda, si nunca he sido tan feliz... Eso me dijo, que nunca había sido tan feliz, y yo estuve borracha tres días, tres días enteros, lo reconozco, tres días, cuando me llamó para contarme que se marchaba con él en moto, hasta Moscú, de vacaciones, no fui capaz ni de asustarme siquiera.

En estas circunstancias, comprenderán ustedes que el accidente se me antojara un regalo de la Divina Providencia. Marianne volvía a estar en casa, en su cama, rodeada de sus muñecos, de sus peluches —que estaban como nuevos, porque yo los había seguido lavando a mano con un detergente neutro incluso después de que me abandonase, fíjense, si no la echaría de menos, que los cepillaba y todo, de verdad que parecían recién comprados—, vestida con un camisón azul celeste sobre el que yo misma había aplicado un delantero de ganchillo, y arropada con una mañanita de lana a juego, tejida también por mí, o sea, igual igual igual que cuando era una niña, aunque con todos los huesos rotos. Cuando estaba dormida, me sentaba a su lado, a mirarla, y me sentía tan feliz que me tomaba una copa para celebrarlo. Cuando estaba despierta, se quejaba constantemente de unos dolores tremendos, y yo no podía soportarlo, no podía soportar verla así, tan joven, mi niña, sufriendo tanto, así que me tomaba otra copa, para insuflarme fuerzas, y le daba un par de pastillas más. El médico se ponía pesadísimo, me lo había advertido un centenar de veces, que era peligroso sobrepasar la dosis, que aquellos calmantes creaban adicción, pero, claro, ¡qué sabrán los médicos del dolor de una madre...! Y los días pasaban, y Marianne mejoraba, su rostro recobraba el color, las heridas se cerraban sobre su piel blanca, tersa, y su carácter volvía a ser el de antaño, dócil y manso, dulce y sumiso, yo le metía en la boca aquellas pastillas maravillosas, le inclinaba la cabeza para que se las tragara, le daba un sorbo de agua y la miraba después, y ella me sonreía con los ojos en blanco, estaba tan contenta, y ya no me llevaba la contraria, ya no, nunca, dormía muchísimas horas, como cuando era un bebé, y por las noches se sentaba a mi lado a ver la televisión, y jamás se le ocurría cambiar de canal, todo le parecía bien, las dos unidas y felices otra vez, igual que antes.

Cuando aquella bruja me dijo que no podía seguir vendiéndome aquel medicamento sin receta, creí que el mundo se me venía encima. Debo confesar, porque para eso estoy aquí, para confesar que soy alcohólica, que al volver a casa me cepillé una botella entera del brandy español más peleón que encontré en el supermercado, y todavía no habían dado las doce del mediodía. Pero... ¡háganse ustedes cargo de mi angustia, de mi desesperación! Todavía se me saltan las lágrimas al recordarlo, pensar en perderla otra vez, tan pronto, cuando apenas la había recobrado, a ella, que tan maltrecha había vuelto a mis brazos, que estaba deshecha, pobre hija mía, cuando por fin atinó a buscar refugio en mí, en su madre, la única persona que de verdad la quiere, que la ha querido y que la querrá durante el resto de su vida... Entonces decidí que nos vendríamos a vivir aquí, a la casa donde transcurrió mi maravillosa infancia, a este pueblecito de las montañas donde mi mejor amiga del colegio instaló, al terminar la carrera, una farmacia surtidísima, se lo aseguro, porque tiene de todo, mi amiga, y es madre de cuatro hijos, ¿cómo no iba a entender ella una cosa así? A grandes males, grandes remedios, eso me dijo, poniendo un montón de cajas sobre el mostrador, y aquí estamos. A Marianne le gusta mucho vivir en el campo, ya le encantaba esto de pequeña, cuando veníamos a veranear, y ahora, pues lo mismo, porque nunca dice nada, no se queja de nada, sólo sonríe, está todo el día sonriendo, pobrecilla, ahora es tan buena otra vez...

¿El chico? ¡Ah! El chico se llama Klaus, y es el novio de mi hija... Claro que les tiene que sonar, era el cajero del banco, ¿no se acuerdan? En cuanto que lo vi, me lo dije, éste sí que me gusta para Marianne. Alto, delgado, apuesto, nada que ver con la fauna de hace unos años, pero nada, ¿eh?, y bien simpático, sí señora por aquí, sí señora por allá, hasta cuando usted quiera, señora, aunque un poco corto sí que me pareció, la verdad, porque el primer día que hablamos ya le conté que yo tenía una hija guapísima, y le invité a cenar, y no vino. Me extrañó, pero pensé que a lo peor era tímido. Un par de días después volví a verle, y le llevé una foto de Marianne, pero se limitó a darme la razón como a los locos, pues sí que es guapa su hija, dijo, muy guapa, señora, claro que sí. Le volví a invitar a cenar y se excusó, no podía. Bueno, pues venga mañana, ofrecí, y él, dale que te pego, que tampoco podía al día siguiente, ni al otro, ni al otro, ¡me dio una rabia! Entonces dejé de hablar con él, y cuando necesitaba dinero, me iba derecha al cajero automático. ¡Toma!, pensaba para mí, ¡fastídiate, que no vales más que esta máquina!

Pero no me resigno a no ser abuela, ésa es la verdad, que no me resigno. Y Marianne va a cumplir treinta años, por muy felices que seamos viviendo las dos juntas, necesita casarse, y yo necesito que se case, celebrar la boda, vestir el traje regional que mamá llevó a la mía, dejar escapar alguna lagrimita cuando ella diga que sí... ¡Vamos, qué madre renunciaría a un placer semejante! Sobre todo porque, bien mirado, esto no es un placer... ¡es un derecho! Así que, un jueves por la tarde, cuando venía a una de estas reuniones de Alcohólicos Anónimos, vi a Klaus cerrando la puerta del banco, y elaboré un plan perfecto. Una semana después, el mismo día, a la misma hora, me acerqué a él por la espalda y le puse en la sien izquierda la pistola de mi difunto marido, que en Gloria esté. ¡Hala, Klaus!, le dije, ahora vas a venirte conmigo... Déjeme señora, le daré todo lo que llevo encima, decía, el muy desgraciado. Pero si esto no es un atraco, hijo, le contesté... ¡esto es un secuestro! Y el muy mariquita se me echó a llorar, se puso a gimotear como una niña. ¿Se lo pueden creer? ¡Ni hombres quedan ya en este asco de mundo!

Ahora vivimos los tres juntos, Marianne, Klaus y yo. ¿Que de cuándo es esta foto? De hace cuatro días... Sí, él no parece muy contento, intenta escaparse todo el tiempo, ésa es la verdad, que le tengo que fijar a la cama con unos grilletes para que no se escape por la noche, pero ya se acostumbrará, ya... Yo procuro que esté entretenido, cortando leña, trabajando en el campo, arreglando la cerca, porque así lo lleva mejor y nos sale todo mucho más barato, por cierto, ya que no necesitamos a nadie, lo hacemos todo entre los dos, él trabaja y yo voy detrás, con la pistola... ¿Marianne? A ella todo le parece bien, ya ven cómo sonríe, alargando la mano para acariciarle... ¿Un gesto extraño? Bueno, sí, es que, desde que toma las pastillas, tiene los brazos como blandos, hace movimientos un tanto bruscos, inconexos, en fin... A mí sí que se me ve satisfecha, ¿verdad? Claro, porque estoy segura de que al final todo saldrá bien. Lo único que me hace falta ahora es dejar de beber, y luego, un buen día, ellos se mirarán a los ojos, y comprenderán, y todos mis sacrificios habrán servido para algo, porque, a ver... ¿qué no haría una madre por su única hija?

El vocabulario de los balcones

Si alguna vez la vida te maltrata,
acuérdate de mí,
que no puede cansarse de esperar
aquel que no se cansa de mirarte.

Luis García Montero,
Habitaciones separadas

Para mi amiga Angeles Aguilera

1

No hay escalera sin barandilla ni hortera sin zapatos de rejilla, solíamos decir en aquella época, pero lo peor no era la abominable trama tejida con tiritas de cuero marrón que estigmatizaba cruelmente sus empeines, sino el grosero repiqueteo de esos tacones —tap tap tap tap—, que acechaban mis pasos cuatro veces al día, todas las mañanas y todas las tardes, de casa al instituto, del instituto a casa, y vuelta a empezar. De vez en cuando, mientras cambiaba de acera en cada semáforo para que, por lo menos, le costara trabajo seguirme, me preguntaba por qué se empeñaría él en llevar todos los días a clase aquellos zapatos de domingo, siempre impecables, tan lustrosos y brillantes, aunque sus costuras ya hubieran empezado a reventar. El no necesitaba esos tacones, una base insólita para sus eternos pantalones de chándal de espuma azul, porque era un chico muy alto, pero aquel mínimo detalle no bastaba para convertir en un misterio el vulgar acertijo de su existencia.

No hay parto sin dolor, ya se sabe, ni hortera sin transistor, y él, naturalmente, solía llevar un transistor

137

pegado a la oreja, el volumen a tope mientras me esperaba, emboscado en la esquina de mi casa. Algunas tardes, el eco melancólico, antiguo, de aquella canción que le gustaba tanto, me advertía de su presencia antes aun que la sombra de su figura escurrida y triste, tan larga y, sin embargo, tan extrañamente desamparada. Luego, sus tacones —tap tap tap tap— ponían una nota de más en la dulzona salmodia de aquel amor terminal y desgarrado que nos acompañaba, *eso da igual, ya nada importa,* San Bernardo abajo, San Bernardo arriba, *todo tiene su fi-i-i-in,* como una profecía incapaz de cumplirse.

—No sé cómo le aguantas —me decía mi prima Angeles, que por aquel entonces ya había conseguido que todas sus amistades la llamaran Angelines, abreviatura madrileña que ella encontraba muy fina, pero que en casa, mal que la pesara, seguía siendo Angelita, y por muchos años—. Es que es lo que le faltaba ya, al tío, que le gusten Los Módulos.

Yo asentía en silencio y, a veces, sin darme cuenta del todo, tarareaba aquella infamia sin mover los labios, *siento que ya llegó la hora, que dentro de un momento, te alejarás de mí,* porque yo no había nacido en un pueblo de Jaén, como Angelita, sino en la Clínica de la Milagrosa, puro Chamberí, y por eso podía permitirme ciertas debilidades arabescas que jamás me atrevería a confesar en voz alta. Y sin embargo, Angelita tenía razón, por muy de pueblo que fuera. El Macarrón —como solían llamarle mis hermanos, no tanto por sus características físicas como por la soli-

138

dez de sus perversiones estéticas— era un pedazo de hortera. Punto final.

Nunca llegué a cruzar una palabra con él, ni siquiera sabía cómo se llamaba —Abencio, seguro, o Aquilino, aventuraba mi prima, todo lo más Dionisio, no lo dudes—, ni podría ahora reconstruir el momento exacto en el que mis hombros comenzaron a acusar el peso de sus ojos, esa mirada sólida, compacta como un espejo animado, turbio y caliente, frente al que me vi cumplir trece, y luego catorce, y luego quince, y dieciséis años. No era del barrio, eso sí lo sabía, y que vivía en Valdeacederas, una estación de metro que estaba muy lejos, por Tetuán más o menos, pero cuya reputación era entonces lo bastante conocida como para que mi madre se sintiera satisfecha de no haberse movido en toda su vida de la insignificante calle de San Dimas.

—Mira, mira —solía decir a las visitas en el balcón, obligándoles a torcer el cuello hasta forzar un ángulo inverosímil mientras señalaba a lo lejos con el índice—. Eso que se ve allí es la cúpula de la Unión y el Fénix. ¡Pero si vivimos casi en la Gran Vía! Lo que yo te diga...

Ella podía hartarse de decir lo que quisiera pero, por supuesto, no vivíamos en la Gran Vía, sino en un barrio antiguo y pequeño, muchos conventos y casas sin portero, sin ascensor, sin calefacción central y con más de un siglo a cuestas, una parcela del centro de Madrid —Noviciado para algunos, Malasaña para otros, San Bernardo, Conde Duque o hasta Argüelles para los taxistas— que ni siquiera hoy tiene nombre definido. Allí se había criado mi padre y allí se había criado mi madre, allí se conocieron, y se miraron, se gustaron y se hicieron novios. Allí mismo, en la iglesia de las Comendadoras, se casaron, y alquilaron un piso grande y destartalado, los techos abombados por el peso del cañizo viejo, reseco, y un suelo bailarín de baldosines pequeños, blancos y rojos, una casa que yo ya no conocí, porque mamá sucumbió a la fiebre de las reformas antes de que yo me rindiera al uso de razón. El pasillo, dividido en varios segmentos equitativamente absurdos, seguía siendo eterno y angosto, eso sí, y mi dormitorio, que conservaba el airoso nombre de gabinete, era en realidad un minúsculo cuarto ciego, pero eso no significaba que hubiera dejado de haber ricos y pobres. Pues no faltaría otro escándalo, hasta ahí podríamos llegar.

—¿Valdeacederas? —mi madre frunció aparatosamente el ceño—. ¡Uf! Eso es un barrio malísimo, medio de chabolas o así.

—¿Valde qué? —terció mi abuela, que no sabía estar callada—. Eso no es Madrid.

—¡No poco, abuela! Pero si hay hasta metro y todo.

—¡Metro, metro! Claro que habrá metro, si ahora debe llegar hasta Toledo... ¡No te digo!

Para la señora Camila, como la seguían llamando en el barrio, Madrid seguía estando restringido a los estrictos límites de la ciudad donde trans-

140

—No está mal para ir a vacilar y eso, hay muchas tías, pero, o sea, el ambiente es más de campo que las amapolas...

Entonces empecé a ir a tomar copas a un bar que estaba muy cerca, en los bajos de Orense, y que sin embargo se parecía a los antros más vulgares de mi barrio como una gota de agua pueda llegar a parecerse a otra. Era un local muy pequeño, con un par de mesas y una barra siempre tan abarrotada que la mayor parte de los clientes se tomaba la copa fuera, en un lúgubre pasillo subterráneo de paredes de cemento. No tenía nombre, pero todo el mundo lo llamaba Pichurri, como al jugador de rugby que lo había montado, y no tardé mucho en inventarme razones suficientes para cimentar su fama de lugar selecto. Y fue precisamente allí, en el agudo vértice de mi impostura, donde se desencadenó lo inevitable.

—Te advierto que ese tío ya está empezando a tocarme los cojones...

Yo fingía no darme cuenta de nada, acatando la norma que obedecía invariablemente desde que comprendí que, por mucho que dejara atrás mi barrio, nunca lograría desprenderme de su sombra, pero a mi lado, Angelines se retorcía las manos con tanta saña como si pretendiera desollárselas, y aunque sentí la tentación de intervenir, de interponer por una vez mi cuerpo, y mi voluntad, en el transparente curso de los acontecimientos, el sentido común me dijo que Nacho tenía razón, que ya estaba bien, todas las tardes lo mismo, la misteriosa aparición de esa figura

currió su juventud, indultando a lo sumo Ventas, y por la plaza de toros, que si no, para ella, lo mismo que Segovia. Era mejor no llevarle la contraria, porque a la mínima oportunidad te volvía a contar cómo la eligieron Miss Chamberí por aclamación en el año 1932, cómo impusieron sobre su pecho una banda verde con letras doradas, cómo llegó por la noche con ella a la taberna de su padre y cómo mi bisabuelo le arreó un bofetón —por Miss— que le dejó los dedos marcados en la cara durante una semana, así que me callé y nunca volví a preguntar por ese desgarbado y sigiloso espectro que parecía vivir sólo para mirarme. El paso del tiempo y Conchita, la panadera, recompensaron mi paciencia al alimón, consintiéndome averiguar algunas cosas. El Macarrón era nieto de la señora Fidela, una anciana bronca y robusta, muy descarada y peor hablada, que vivía en Montserrat esquina con Acuerdo, a dos pasos de mi casa. Su marido, un hombrecito convenientemente insignificante y a quien, por supuesto, nadie conocía por su nombre de pila —en mi barrio, ése parecía un privilegio exclusivo de las mujeres, y el señor Fulano nunca era tal, sino el marido de la señora Fulana—, había trabajado toda la vida como bedel en el Cardenal Cisneros, y así había conseguido una plaza en el instituto de la calle de los Reyes para un alumno que vivía tan disparatadamente lejos. Yo, que asistía al Lope de Vega porque no me quedaba más remedio, estaba a punto de descubrir el valor de aquellos ojos que tal vez me con-

cedieran el privilegio de existir, en lugar de nutrir-
se con ventaja de mi existencia, cuando Angelita hizo
un descubrimiento mucho más aparatoso, una auténtica hazaña que la convertiría definitivamente en Angelines.

En el instante en que atravesé el umbral de To-
paz, sentí más bien que ingresaba de golpe en otro
mundo. Aquella discoteca lujosísima —cristales ahu-
mados hasta en los cuartos de baño, grandes espejos
con marcos dorados en los pasillos, sofás profundos como camas de matrimonio, ambientes muy mal
iluminados y, fundamentalmente, camareros con es-
moquin, detalle que no tengo más remedio que ca-
lificar como la pera limonera de lo que yo entendía
entonces por distinción— no tenía nada que ver con
los baretos del distrito Centro que hasta aquel momento habían jalonado, como las estaciones de un
Vía Crucis, el lento peregrinar de las horas por las
tardes de mis viernes y de mis sábados. Claro que
Angelines y yo tampoco teníamos mucho en común
con la selecta ganadería de Chamartín de la Rosa que
pastaba en aquel local. Recuerdo todavía aquella in-
comodísima sensación de impropiedad que hormi-
gueaba en mis tobillos como una plaga, la infección
de vergüenza que amenazaba con delatarme a cada
paso mientras buscaba un sitio que me correspon-
diera, un lugar donde mi aspecto no desentonara entre tanta chica rubia con culo respingón embutido en

vaqueros de importación y miles de sortijas de
en cada mano, y tanto tío gigantesco de pelo
minado enfundado en *blazer* azul marino con
nes dorados y provistos de sus correspondiente
clas. La moda náutica, que llegaría a arrasar alg
años después en esta ciudad tan radicalmente aje
todos los mares, aún no superaba el rango de
sombría amenaza, pero yo no distinguía un nudo
rinero del lazo de un zapato, y eso era una trag
sólo comparable al miserable aspecto de los Lois
mi madre insistía en comprarme por aquel enton
    Los pijos, sin embargo, parecían genéticame
predispuestos a reconocer un culo respingón incl
en condiciones tan indeseables, porque no pasó
cho tiempo antes de que se me acercara el prime
más feo que yo, más bajo que yo, más gordo que
—mucho más tonto que yo—, pero que, sin embar
tenía un amigo que conocía al primo de otro tío
estaba muy bueno, uno rubio que llevaba siempre
misetas de algodón de colores muy vivos, con el cu
llo blanco y un número impreso en la espalda, q
al final resultó que eran de jugar al rugby. Se llama
Nacho, estudiaba ICADE, y tenía diecinueve años
un Ford Fiesta flamante, con muchos extras y pintu
gris metalizada, aparte de la estupenda costumbre
pagarme todos los gin-tonics que se me antojaban e
tre muerdo y muerdo, que era como entonces ll
mábamos a los besos. Cuando empezamos a sa
juntos, la primera cosa que me enseñó fue que Top
era una auténtica horterada de sitio.

solitaria y huidiza a la que nunca fui capaz de despistar, aquel cuerpo encogido que buscaba amparo en el filo de todas las esquinas, los brazos colgando, los hombros hundidos, la cabeza gacha, una impecable máscara de fragilidad para unos ojos que no cambiaban nunca, ojos duros como rocas, hondos como pozos, relucientes y tenaces como dos cuchillos.

—¿Qué miras tú, eh, gilipollas? ¿Se puede saber qué miras tú? No, ¿eh...? ¡Pues te vas a llevar dos hostias, mira por dónde!

Me escondí en el baño para no ser testigo de la masacre, pero antes de llegar, mis oídos registraron ya el eco de un par de puñetazos y una queja apagada. Cuando volví, mi novio seguía gritando, chillando, furioso como un cerdo en un matadero, mientras el Macarrón, con una ceja abierta, manando sangre por la nariz, echaba a correr por los sótanos de Azca sin querer todavía perderse del todo, porque aún se detuvo un momento, afrontó el riesgo de un golpe aplazado, se dio la vuelta, y me miró, y yo alcancé a recoger su última mirada y me entraron una ganas tremendas de llorar.

Aquella noche no hubo despedida, porque me sentía incapaz de besar a Nacho, de tocarle, de responder al más leve roce de sus dedos. No le dije nada porque sabía que no lo entendería. Yo tampoco lo entendía, pero le dejé al día siguiente, de todas formas.

Un par de meses más tarde conocí a mi segundo novio, que se llamaba Borja y tenía un velero atracado en Mallorca y una intensa predilección por las terrazas de Pozuelo, en una de las cuales me tropecé con Charlie, que había dejado de estudiar para montar un gimnasio, y él me presentó a su primo Jacobo, cuyo padre, eterno aspirante a la presidencia del Real Madrid, me invitó un año a veranear en la inmensa mansión que poseía a orillas del Cantábrico, en una playa espléndida, blanca y desierta, donde no me atreví a bañarme ni una sola vez en todo un mes, porque la temperatura del agua amorataba los dedos de los pies, aunque eso no debía importarme, porque veranear en el Mediterráneo, por lo visto, también era una paletada, con la única excepción de las Baleares, que tenían un pase.

Y no me casé con Jacobo, ni con Charlie, ni con Borja, ni con Nacho, pero estuve a punto de casarme con Miguel, creo que lo habría hecho si no hubiera tardado tanto en llevarme a casa de sus padres, diplomático de carrera con señora, por los que sentía un respeto que rayaba abiertamente en el temor, desentonando con similar intensidad en el carácter de un hombre de casi treinta años. Yo, mientras tanto, estudiaba Químicas, y a despecho del entusiasmo de mi madre, que ya me veía de blanco en los Jerónimos, sentía que cada mañana, al levantarme, me parecía un poco más a mi abuela, e iba comprendiendo lentamente que todas aquellas familias adineradas que casi siempre venían de Santander eran, en el fondo, tan de provincias como Angelita, que había terminado por echarse un novio estupendo en Alcalá la Real, y contemplaba sin horror alguno la posibilidad de irse a vivir una temporada al pueblo de su padre, tal y como hiciera su madre tantos años antes pese a los nigérrimos augurios que emitió la mía cuando se enteró.

—Pero, cuando vas por allí, ¿no se te queda pequeño? —le pregunté una vez.

—Pues no sé —me contestó—. Total, no salgo de la cama...

—Ya saldrás —insistí—. Y entonces tendrás que soportar el chismorreo, y las vecinas, y que si llevas faldas demasiado cortas...

—¡Pues anda que tú! —me cortó—. En esa urbanización de Aravaca, todo el santo día barbacoa va y barbacoa viene, y cuánto gana tu marido y cuánto gana el mío, y que si partidos de *squash* y que si al gimnasio con Menganita, y el teléfono del payaso de las fiestas de los niños, para no quedar peor que Piluca, que contrató un mago... Además, cuando yo me canse, cogemos y nos venimos, pero tú..., ¿adónde te vas a venir tú, desde Aravaca? Y eso hoy, que me siento generosa y paso por alto el detalle de que mi novio está mucho más bueno que el tuyo, guapa.

Eso era verdad, y casi todo lo demás también. Miguel se negaba a vivir en la ciudad porque llamaba campo a una intolerable amalgama de urbanizaciones de medio pelo con pretensiones, y a mí no me daba vergüenza no tener ninguna casa con jardín y paredes de hiedra, ningún pueblecito marinero, ninguna dehesa, ningún prado, ninguna playa a la que volver en vacaciones y, a cambio, como única raíz, sólo un balcón, un minúsculo pañuelo de baldosas al que sacar una banqueta en las noches de verano para tomar el fresco con mi abuela, cambiando el sempiterno olor a garbanzos cocidos que ascendía por el patio en las mañanas de invierno por los uniformes ecos de un bullicio universal, toda la ciudad abierta, maquillada de espumas y de luces, disfrazada repentinamente de jardín, como una inabarcable, inmensa terraza. No me había marchado aún y ya lo echaba todo de menos, y sin embargo, no era sólo el paisaje de mi vida lo que fallaba. Tardé mucho tiempo en comprender, en advertir por qué caminaba con los hombros demasiado ligeros, por qué sentía como si mis pies no tuvieran peso, como si ningún cuerpo fuera capaz de asentarlos en el suelo que pisaban. Todos mis actos me parecían soluciones provisionales, remiendos anticipadamente insuficientes para un hundimiento inevitable, pero el suelo empezó a crujir cuando menos lo esperaba.

Miguel conducía hacia la casa de sus padres, que por fin me habían invitado a cenar. Yo miraba por la ventanilla el monótono espectáculo de Capitán Haya, las torres acristaladas que se sucedían, idénticas, en las dos aceras, garajes y jardines, palmeras en los portales, alardes de nuevos ricos que ya no me impresionaban, siempre lejos, cada vez más lejos. Un giro a la izquierda me precipitó en una calle donde nunca había estado, pero me daba lo mismo porque era igual que las demás, y otra vez a la izquierda y todavía más lejos, y más, y ahora despacio, porque buscábamos un sitio para aparcar y no lo encontrábamos, y todas las calles, todas las fachadas, todas las esquinas parecían iguales, pero de repente, en el enésimo giro, bordeando una manzana de casas de lujo, me encontré en casa, un barrio distinto, viejo, con aire de pueblo viejo, que parecía haber brotado repentinamente de la tierra por un capricho del destino, tiendas baratas, edificios de un par de pisos, música de rumba escapando por los balcones y señoras en bata comprando pan, y una boca de Metro con un nombre familiar y doloroso, cinco sílabas que estallaron entre mis dos cejas como una pedrada.

—Para —dije entonces—. Me bajo aquí.

—Bueno, si quieres... Mis padres viven justo detrás de esta esquina, en la otra mitad de la manzana, espérame...

—No me has entendido —expliqué, abriendo la puerta del coche—. No voy a ir a casa de tus padres. Me vuelvo a la mía, en el metro.

Pisé la acera con fuerza, y sentí el cemento en las plantas de los pies y una emoción extraña, como si al descubrir el secreto de la ciudad de las dos caras ésta me hubiera desvelado la clave de mi única vida, y sólo entonces me incliné hacia delante, para despedirme desde la ventanilla.

—Tú no me miras, Miguel —dije despacio, aunque

estaba segura de que no me entendería—. Porque no sabes mirarme.

Luego, la estación de Valdeacederas cerró sus brazos sobre mí como sólo saben cerrarse los brazos de una madre.

2

Nunca se me han dado bien las rebajas.

Recuerdo perfectamente que, mientras la escalera mecánica trabajaba por mis piernas, iba pensando en eso, en mi incapacidad para revolver en los expositores y encontrar una ganga, y recuerdo también que la vi antes a ella, me estaba prometiendo a mí misma que jamás volvería a caer en la trampa, nunca más haría cola ante un probador, cuando me fijé en una chica morena que llevaba el pelo recogido en una trenza larga y espesa, como la que llevaba yo cuando era niña, y luego, entre la tercera planta —caballeros— y la segunda —todo para la mujer—, tuve el presentimiento de que un tío que subía la miraba intensamente, y me dio rabia, y después me dio rabia que me hubiera dado rabia, porque esa reacción instintiva pero mezquina, casi absurda, me hacía consciente de los años que iba cumpliendo con mucha más contundencia que el espejo del baño en mañanas de resaca, y entonces decidí que el tío sería un gilipollas, y levanté la vista para mirarle a la cara, y no sólo no tenía cara de gilipollas, sino que, además, era él.

Sus ojos se cruzaron con los míos y frunció las

cejas durante un instante, pero no quiso mirarme, no me reconoció, y aunque me daba miedo contestarme que sí, tuve que preguntarme si no habría cambiado yo tanto como él desde cualquier día del verano del 77, del 78 tal vez, ya ni siquiera me acordaba de la fecha. Habían pasado más de quince años, y al mirarle, nadie podría adivinar el infamante apodo que arrastró durante su adolescencia. Conservaba el aire prematuramente melancólico que antes teñía todos sus gestos de tristeza, y caminaba aún con los hombros hundidos, la cabeza baja afrontando el suelo, pero el corte de pelo, la americana de lana jaspeada, los zapatos de piel vuelta con cordones, la cartera de cuero castaño —piel muy usada pero muy buena— que llevaba en la mano, delataban ese peculiar desaliño premeditado que siempre esconde una pizca de elegancia. Le van bien las cosas, pensé, mientras subía los escalones de dos en dos, en dirección contraria a la que movía el motor, sin ser consciente todavía de que le estaba buscando, y le encontré comprando calcetines, granates, grises, negros, todos lisos. Pagó con una tarjeta de crédito y regresó a las escaleras, y yo fui tras él, y tras él salí a la calle Preciados y, sin perderle nunca de vista, sorteé a un par de músicos callejeros, una cabra bailarina y el tenderete de un trilero, y llegamos a Callao y siguió andando, Gran Vía abajo, pasó de largo un cine, luego otro, y luego otro, embocó San Bernardo y yo le seguí, recorrimos la misma calle que habíamos andado juntos tantas veces en una situación que yo jamás me habría atrevido a adivinar entonces, él delante, sin volver jamás la cabeza, yo detrás, escondiéndome entre las farolas de todas formas, y atravesamos la calle del Pez y siguió andando, no dejó de hacerlo hasta ganar la esquina de San Vicente Ferrer, y en ese punto sus talones giraron bruscamente un cuarto de vuelta y yo me detuve, sin saber muy bien adónde ir, y le vi cruzar la calle de cuatro zancadas, la cabeza siempre rígida, aparentando despreocuparse del tráfico, y quedarse quieto justo enfrente de mí, en la otra acera.

Se dio la vuelta muy despacio, levantó lentamente los ojos, me miró, y supe que nunca había dejado de reconocerme.

Tardé cinco noches —cuatro días— en decidirme, y todavía dos mañanas más hasta atreverme a empujar la puerta de la panadería sin tener muy claro lo que iba a decir, por dónde empezar después de los besos y los abrazos, los pésames y las enhorabuenas de rigor, pero Conchita me dio el pie sin pretenderlo —¡qué barbaridad!, hay que ver, pero ¡qué elegante estás!, ya nunca vienes a vernos, claro, como somos pobres...— y obtuvo a cambio una versión exagerada de mi vida, que consistió sobre todo en un resumen abiertamente dramático de las infrahumanas dimensiones del apartamento de Martín de los Heros cuyo alquiler me suponía —mentí— más de la mitad del sueldo.

—Estoy pensando en volver al barrio, ¿sabes? —proseguí, con una desenvoltura asombrosa hasta para mí misma—, pillar algo por aquí, no muy grande... Supongo que no seré la única, de los niños de entonces, quiero decir... Mi hermano me dijo hace un par de días que había visto al nieto de la señora Fidela salir de un portal en San Vicente Ferrer...

Ella me miró con cara de no acordarse de nada y me dije que tal vez fuera mejor así, pero reaccionó enseguida para confirmar punto por punto mis sospechas, naturalmente que sí, Juanito sí que había vuelto.

—O sea —murmuré para mí—, que se llama Juan...

—¡Natural! —Conchita se pasmaba de mi perplejidad—. Igual que de pequeño. ¿Cómo quieres que se llame?

—Claro, claro... ¿Y a qué se dedica ahora?

—Pues no sé. Da clases en la universidad, o algo por el estilo...

Averiguar qué enseñaba exactamente resultó un poco más difícil, porque mi interlocutora sólo recordaba que su especialidad empezaba por A —ino sé, hija...!, ahora sois todos unas cosas tan raras—, y lo primero que se me ocurrió fue arquitectura —ino, mujer, quita ya...! Tan importante no es—, y luego pregunté si era abogado —ipero ¿qué dices?! No, no... Mucho más importante que eso—, y así, por su peculiar escala de prestigio, fui descartando aparejador, ATS, alergólogo, ingeniero aeronáutico, aeroespacial y agrónomo, arqueólogo, filólogo alemán, astrónomo, astrofísico, y no sé cuántas esdrújulas más.

—¡Sí, mujer! —insistió al final—. Si tú tienes que saber lo que es. Hasta salen en la tele de vez en cuando hablando de los salvajes y eso...

Comprendí enseguida lo que quería decir, pero tardé unos segundos en arrancar a hablar, como si aquella posibilidad me resultara más inverosímil que algunas de las que yo misma había propuesto, y no pude evitar que me temblara un poco la voz en la primera sílaba.

—¿An-tro-pó-lo-go? —pregunté muy despacio, casi con miedo, y Conchita elevó las dos manos al cielo mientras profería un alarido de triunfo.

—¡Justo!

—¿El Macarrón es antropólogo? —volví a preguntar, como si con una sola afirmación no hubiera tenido bastante.

—Sí —me contestó ella, para insistir luego en un tono ligeramente ofendido—, y ya te he dicho que se llama Juanito.

—¡Antropólogo, el Macarrón...! —afirmé para mí, en un susurro—. Desde luego... ¡tócate las narices!

Después, Conchita sacó una lima de uñas del cajón de las pesetas, se sentó en un taburete y, al otro lado del mostrador, empezó a hacerse la manicura como si estuviera sola, pero cuando yo buscaba ya una fórmula de despedida se decidió a agregar el colofón que menos me esperaba.

—Él tampoco se ha casado —dijo, sin levantar la vista de su mano izquierda.

—¿Y por qué me cuentas eso?

—No, mujer... —y entonces me miró—. Por nada.

Estoy segura de que él nunca me creería si le confesara que fue una casualidad, pero lo cierto es que yo hubiera preferido otro balcón, otra fachada, otro piso, un mínimo desnivel, cualquier distancia, y si me hubieran dado a elegir, habría escogido una trinchera comunicada con la suya de forma diferente, a través de una azotea quizás, o de un simple patio de luces, pero aunque no habían pasado más de tres meses cuando me avisaron de la agencia, yo ya no tenía dieciséis años, y el tiempo pasaba muy deprisa y muy despacio a la vez, demasiado rápido para retenerlo, demasiado lento para desesperar a quien sabe que no lo posee por completo.

La chica que me acompañaba enarcó las cejas hasta su límite físico, cuando le pedí que no abriera los balcones. Recorrí en penumbra las habitaciones que daban a la calle —un gabinete, el salón, otro gabinete, el dormitorio, otro dormitorio...— y di una señal sin dignarme a echar más que un vistazo a la cocina y al baño, que por muy recién reformados que estuvieran, daban a un callejón sin ningún interés. Obligué a los mozos de la mudanza a trabajar con luz eléctrica, el piso cerrado a cal y canto mientras cada uno de mis objetos luchaba por convencerme del lugar que le correspondía, y luego, todavía, esperé a estar familiarizada con el espacio. El día en que decidí que me sentía segura, compré un ramo de flores al salir del trabajo. Coloqué el jarrón en una mesa situada en el ángulo adecuado, y sólo entonces abrí muy despacio las contraventanas del balcón del salón. Mis labios se curvaron solos, dibujando una sonrisa de la que no llegué a ser consciente del todo. Al otro lado de la calle, en un balcón del tercer piso del edificio contiguo al que se elevaba enfrente de mi casa, estaba él. Me miraba, y casi sonrió conmigo.

Aprendí muchas cosas en muy poco tiempo, pero también muy pronto dejaron de bastarme. Juan —pronunciaba continuamente su nombre, en silencio algunas veces, otras en voz alta, hasta que me acostumbré a llamarle así— era muy desordenado, comía poco, dormía menos, y salía casi todas las noches a pesar de que tenía que levantarse temprano, porque daba clases por la mañana. Por las tardes solía estar en casa, y me miraba. A veces se acercaba al balcón con un libro en la mano o hablaba por teléfono durante mucho tiempo sin apartar los ojos del cristal, al acecho del menor de mis movimientos, como cuando éramos niños. Yo mantenía siempre enrolladas las persianas verdes y empezaba a cansarme, y dudaba de que él tuviera bastante con la pobre victoria de mi imagen, pegada al balcón durante horas como una calcomanía en tres dimensiones, pero no llegué a recibir señales de que albergara una ambición mayor. Me mantuve firme durante algún tiempo. Luego, la ansiedad pudo más, y a su amparo empecé a elaborar una lista de tácticas posibles, todas parejamente insensatas. Poner un cartel en el balcón me daba mucha vergüenza, averiguar su teléfono y marcarlo me pondría enferma, y cruzar la calle para pedirle una tacita de azúcar resultaría físicamente imposible, porque mis piernas se habrían fundido para siempre antes de lograr transportarme hasta su portal. Al final, opté por vaciar el salón de mi casa. Saqué todos los muebles al pasillo, traje una banqueta de la cocina, la coloqué al lado del balcón y me senté allí, a no hacer nada. Confiaba en que él lo entendería, siempre había sabido interpretar todos mis gestos y, sin embargo, cuando levanté los ojos, los suyos sostuvieron mi mirada durante apenas un par de segundos.

Su ausencia no llegó a desconcertarme, porque regresó enseguida, abrió las dos hojas, se apoyó en la barandilla, y me miró. Yo imité sus gestos, uno por uno, y al principio no reconocí la música, pero mi memoria reaccionó antes que yo misma, *siento que ya llegó la hora*, él movía los labios muy cerca, al otro lado de la calle, pero no podía escucharle, *que dentro de un momento*, y entonces me di cuenta de que no conocía su voz, de que nunca la había oído, *te alejarás de mí*, y tuve ganas de llamarle, de gritar su nombre, suplicarle que gritara, *eso da igual*, pero no me atreví a articular un solo sonido, *ya nada importa*, y me uní a su canto al final del estribillo, *todo tiene su fi-i-i-in*, hasta que terminó. Luego, me quedé mucho tiempo quieta, aferrando la barandilla con las dos manos. Le miraba, y casi sonreí con él.

Empezaba a hacer buen tiempo y esa canción se convirtió en una contraseña entre nuestros balcones abiertos. Lo demás pasó después, de repente. Hacía mucho calor aquella noche de junio, el aire pesaba como si lo hubieran hilado con plomo, y el perfil de la luna parecía hervir sobre un cielo que, de puro caliente, se negaba a oscurecer del todo. Al otro lado de la calle, él subió el volumen de su equipo de música, y percibí casi el eco de un llanto, una queja terminal y desgarrada, como una resonancia de desesperación. Me levanté y me acerqué al balcón, y la voz del cantante sonaba igual que siempre, pero yo no era capaz de escucharla como antes, y empecé a desabrocharme la blusa sin advertir que aquél era el único gesto espontáneo que acometía desde que me había mudado a mi nueva casa, la única palabra que no había planeado, estudiado y sopesado previamente, mi blusa cayó al suelo y empecé a desabrocharme la falda, y él me miraba, el dibujo de sus cejas, dos arcos perfectos, inmutable como si alguien las hubiera esculpido en piedra sobre sus ojos fijos, y mi falda también cayó al suelo, terminé de desnudarme sin dejar de mirarle, y él me miraba, pero no se movía, me miraba, pero seguía apostado frente al balcón, como un muñeco, como una estatua, como un cadáver.

Mis párpados cayeron solos, y mis lágrimas decidieron seguir su camino, escurrirse entre ellos, atropellarse y rodar sobre mi cara para certificar el último fracaso. Tuve que imponerme a mi propia piel, luchar contra la inercia que me aplastaba entera contra el suelo, para abrir los ojos otra vez, y quise no volver a ver a nadie, ninguna cosa, nada, nunca más, pero contemplé un balcón vacío, abandonado, y mi corazón estuvo a punto de asomarse al mundo desde la enloquecida frontera de mi boca.

Luego, fui yo quien bajó la cabeza. El cruzaba la calle con la suya más alta, los hombros por fin erguidos.

Modelos de mujer

Cuando descolgué el teléfono para inaugurar una desconcertante mañana de plomo, pintada con esa luz húmeda y gris que tendría que estar prohibida siempre, y más cuando la primavera se prepara ya para desembocar en el verano, se me había olvidado que la declaración sobre la renta me había salido positiva, veinticuatro mil pesetas del primer plazo —jamás pago todos los impuestos de golpe, no vaya a ser que me muera en verano y Hacienda cobre de más— que habían abierto una herida nada sutil en mi modesto corazón de trabajadora tenaz y precarísima. Sin embargo, las condiciones de aquella asombrosa oferta me despejaron del sopor previo al desayuno con tanta eficacia como si el auricular transmitiera puñetazos en lugar de palabras, y cuando acepté, sin tomarme el trabajo de fingir que tenía que pensármelo, levanté una montera imaginaria al cielo para brindar a la memoria de esas veinticuatro mil pesetas de mi alma, que habían volado de una cuenta corriente tan congénitamente escuálida que el saldo parecía ya una broma de mal gusto.

Nunca me habría atrevido a pensar que nadie pudiera pagar tanto dinero a alguien por un trabajo. La cifra me daba vueltas en la cabeza mientras me duchaba, mientras me vestía, mientras pasaba de largo por la parada del autobús, repitiéndome que sería delicioso caminar por Madrid en una mañana tan fresquita, bajo un cielo de reflejos nacarados que nunca fue plomizo, sino blanco, de esa blancura viva y elegante que barniza la carne de las perlas. Pensaba solamente en la vuelta, después del verano, todos los días que podría vivir sentada encima de ese obsceno montón de pesetas, y en mi tesis doctoral, en mi pobre, amado y desatendido Yevgueni, al que nunca volvería a abandonar por la corrección tipográfica de setecientas galeradas de una guía ornitológica de los Pirineos, como la última vez, ni por la traducción de un manual completo de MS-DOS en doscientos cuarenta fascículos con su correspondiente disquete de regalo, como la penúltima. Es dura la vida del colaborador editorial, sobre todo cuando la declaración de la renta sale positiva, y la primera regla del oficio dice que hay que cogerlo todo, hasta la redacción de cursos acelerados de punto de cruz, así que no me consentí dudar ni por un momento de estar acertando, y sin embargo, cuando llamé a su puerta, en las puntas de mis nervios se enroscaba una inquietud casi vecina del miedo. Al fin y al cabo, nunca se me ha dado bien el trabajo en equipo.

—¡Hola! —me saludó con una sonrisa radiante para la que en realidad no había motivo alguno—. ¿Quién eres?

Si tardé tanto en contestar no fue solamente porque nunca he acertado muy bien a definirme en dos palabras. También pesó el asombro de tenerla delante, impecablemente maquillada, peinada, vestida, *conjunto de mañana en punto de seda de tonos crudos, líneas amplias, generosas, que estilizan la silueta, acentuando la esbeltez de una figura etérea, espiritual casi, que se propone como un nuevo modelo de feminidad...* Eso lo había escrito yo misma un par de años antes, al redactar los textos del catálogo de primavera-verano de unos grandes almacenes, recuerdo que me pagaron una miseria, y la recuerdo a ella, impecablemente maquillada, peinada, vestida, exactamente igual que ahora, cuando me abría la puerta de su casa a las once y media de la mañana de un martes normal y corriente, que ni siquiera era día trece. Lo peor fue que la encontré abrumadoramente guapa, una pura portada de número extra Todo Belleza, y aunque intenté infundirme seguridad por el bajo y rastrero procedimiento de ironizar para mí misma que, a juzgar por las que estaban a la vista, debía llevar gardenias de Chanel prendidas hasta en las bragas, al tender hacia delante el brazo derecho, rocé por accidente la base de uno de mis pechos, embutido en el sujetador de la talla 100 que me convierte en un monstruoso accidente natural cada vez que atravieso el umbral de una *boutique*, y me dije que aquello no iba a resultar nada fácil. Le ofrecí mi mano de todas formas, mientras me explicaba lo mejor que podía.

—Bueno, yo... Me han llamado esta mañana de tu

agencia para que te acompañe a Estados Unidos. Hablo un ruso perfecto y mi inglés...

—¡Ah, sí! —me interrumpió, mientras seguía exhibiendo una sonrisa radiante para la que todavía no había motivo alguno—. Tú debes de ser mi... ¡Ay, no me acuerdo de la palabra!

—*Coach*.

—¿Qué...?

—Co-ach —repetí más despacio, renunciando a cualquier acento, y por fin asintió—. Puedes llamarme entrenadora, si quieres, es más sencillo.

Hizo un gesto para invitarme a pasar y ya en el recibidor tuve la sensación de que acababa de cambiar de revista, como si hubiera caído por accidente dentro de las páginas de cualquier suplemento de decoración, de esos que regalan un par de veces al año todas las publicaciones llamadas femeninas. El salón que me acogió estaba tan impecablemente maquillado, peinado, vestido, que casi daba pena sentarse.

—¿Por qué hablas ruso? —me espetó a bocajarro, y por primera vez sospeché que quizá su radiante sonrisa no fuera más que el escudo de una perenne perplejidad.

—Porque estudié filología eslava. —Supuse que esta breve respuesta zanjaría la cuestión, pero me equivoqué. Ella no solía tener bastante con una sola respuesta.

—¿Y por qué?

—Pues... porque me interesa mucho la literatura rusa del siglo XIX, y la Revolución del 17, y porque

166

me atrae el este de Europa, y no sé... Porque el ruso es una lengua importante y me apetecía conocerla.

—Claro... —hizo una pausa, como si necesitara meditar—. No deberías usar Wonderbra, yo creo que te achaparra un poco.

—No uso Wonderbra —respondí muy despacio, procurando que cada sílaba sonara como un navajazo.

—Entonces eso es tuyo...

—Sí.

—Ya.

Veteatomarporculo, veteatomarporculo, veteatomarporculo, repetí para mí, muy deprisa, como una técnica para conservar la serenidad, porque, aun disparando al azar, me había acertado a la primera en el mismísimo centro de la sima más honda entre las que minaban los maltrechos cimientos de mi persona.

—¿Quieres tomar algo? —me ofreció a cambio.

—Una Coca-Cola... —y sintiéndome irremediablemente culpable para varios meses, añadí la coletilla odiosa— light, por favor.

—Es lo mismo que tomo yo.

Pues qué bien... pensé para mí, y me repetí que aquello no iba a ser nada fácil.

Mido casi un metro setenta, y eso está bien, pero la última vez que pesé cincuenta y cuatro kilos estaba a punto de cumplir quince años. Eso no tendría mucha importancia si no fuera porque casi siempre peso un poco —uno de esos «pocos» tan elásticos que parecen conceptos de goma— más de sesenta, que no es ya el peso ideal, sino apenas el normal, y eso está francamente mal cuando no tengo un buen día, que de unos años a esta parte es, más o menos, todos los días. Soy lo que la gente suele llamar «una mujer grande», y tengo tanto éxito con los albañiles que trabajan en la calle, como desprecio inspiro a las redactoras de páginas de moda. Mi cara me gusta, y me gusta mi piel, y mi pelo castaño, espeso y ondulado, aunque a veces preferiría ser más rubia, o morena del todo, para escapar de la apabullante mayoría estadística de los tonos marrones, que son los míos y los de casi todo el mundo, por mucho que yo me empeñe en subirme la moral de vez en cuando diciéndome que, en realidad, tengo los ojos de color avellana.

Eva también tenía los ojos castaños, y hasta se teñía el pelo de un caoba rojizo que no escapaba de la gama de los marrones, pero nadie se atrevería a confundir cualquiera de sus rasgos con los que comparte casi todo el mundo. Era diez centímetros más alta que yo, pero abultaba más o menos la mitad de mi cuerpo considerado a lo ancho, y cuando caminaba, su figura parecía animada por el espíritu de un animal extremadamente elegante, una gacela quizás, o un antílope de frágiles y larguísimas patas. Mientras la veía alejarse en dirección a la cocina, comprendí muy bien que una belleza semejante hubiera llamado la atención hasta en Hollywood, y cuando seguí sus pasos, mi autoestima se encontraba quizás en el más ínfimo de los niveles perceptibles. La visión del interior de su nevera, sin embargo, la hizo subir algunas décimas.

—Sólo queda una *light*... —me explicó con un bote en la mano y la consabida sonrisa radiante, más ridícula que nunca al brotar de un espectáculo tan penoso.

—No importa —la consolé, sin poder apartar los ojos del bote de espárragos, el par de tomates, los cuatro yogures y el deshabitado frutero que parecían niños perdidos entre las baldas de un inmenso frigorífico—. Podemos compartirla mientras hablamos, y luego bajar a comer algo en la calle.

Cuando nos sentamos en una mesa de la cafetería de comidas rápidas que había junto al portal de su casa, apenas había logrado averiguar algo de ella, aparte del exacto mecanismo de su perfeccionadísima sonrisa, que me propuse ensayar delante del espejo en cuanto volviera a casa. A Eva no le gustaba mucho el cine. Tampoco le gustaba mucho viajar. Quería ser actriz porque, casi diez años después de ser elegida Miss España, se estaba haciendo mayor para la pasarela y empezaba a estar muy vista como modelo fotográfico.

—¿Y qué hago yo si no, a ver, dime? —me preguntó.

—Mujer, hay muchas cosas.

—¿Por ejemplo?

—Pues no sé... La jardinería, la filatelia, poner una

tienda, sacar unas oposiciones, trabajar en cualquier sitio, tener hijos, estudiar...

—¡Sí, estudiar! Con la memoria que tengo.

Intenté explicarle que para ser actriz hay que estudiar mucho, pero, sencillamente, no se lo creyó.

—Para eso estás tú —me dijo.

—No, Eva. Yo estoy para ensayar contigo el papel, para enseñarte a pronunciar bien en inglés, y para hacerte de intérprete en el rodaje. Pero yo no voy a hacer la película por ti.

Me contestó con una sonrisa radiante y me temí lo peor. A mí sí me gusta el cine. Mucho. Había visto todas las películas de Andrei Rushinikov, y conocía tan bien los escasos límites de su talento como la fama de director tiránico, perfeccionista hasta la crueldad, que había sembrado en dos continentes. Cuando le pregunté a Eva si sabía algo de esto, me contestó que ya había pensado en ver alguna película de Rushinikov antes de salir hacia Los Angeles, y que lo haría antes o después, pero de momento le daba mucha pereza.

—De todas formas, él me eligió, ¿o no? —fue su manera de defenderse—. Mi agente americano me contó que, al ver mis fotos, dijo que yo era exquisita...

Nunca en mi vida había sostenido una conversación tan parecida a un forcejeo, y al sentarme a la mesa me encontraba tan cansada como si hubiera pasado toda la mañana condenada a picar piedras. Sentía un hambre suficientemente atroz como para extinguir el mejor de los propósitos, y ni siquiera me tembló la voz al pedir un sandwich de tres pisos —pollo, jamón, queso, lechuga, huevo duro, tomate, bacon y mayonesa— y una cerveza. Eva se conformó con un sandwich de jamón de York y un botellín de agua mineral sin gas, y se enfrentó a la comida con la misma meticulosa precisión que desplegaría un cirujano antes de acometer una operación a corazón abierto. Primero respiró. Luego, desprendió la tostada superior y la apartó a un lado. Levantó el relleno con mucho cuidado para desprenderlo también de la tostada que estaba debajo, y colocó ésta encima de su compañera. Situó el jamón exactamente en el centro del plato, y volvió a respirar. Después, cortó un pedacito, se lo llevó a la boca, y empezó a masticar.

Un par de segundos más tarde, era yo quien no comía. Ella seguía moviendo las mandíbulas acompasadamente, sin figurarse siquiera hasta qué punto me estremecía aquella escena.

—¿Qué pasa? —preguntó todavía un rato después, cuando se consintió a sí misma ingerir el jamón—. ¿Por qué me miras así?

—Llevo casi diez años intentando terminar mi tesis doctoral —contesté, sin hacer ningún esfuerzo esta vez por bajar a su altura—, sobre un libro titulado *Nosotros*, que escribió a principios de siglo un autor ruso llamado Yevgueni Zamiatin. Es una novela de anticipación, una utopía totalitaria, Orwell se inspiró directamente en ella para escribir *1984*. Se sitúa en un futuro cercano. El mundo está gobernado por un Estado único cuya fuerza reside en la anulación absoluta y completa de cualquier iniciativa individual. Todas las normas, todas las leyes, sirven para uniformar a las personas, para convertirlas en pequeños robots obedientes que no hacen preguntas, ni se las contestan. Cuando leí el libro, lo que más me impresionó fue la descripción de las comidas. La ley establecía que cada ciudadano estaba obligado a masticar cincuenta veces cada bocado antes de ingerirlo, bajo pena de sanción grave. En ese momento empecé a admirar a Zamiatin, a pensar seriamente en trabajar sobre él. No he vuelto a encontrar en ninguna parte un indicio tan sutil, y tan contundente al mismo tiempo, de la esencia de la tiranía.

—¿Y por qué tenían que masticar cincuenta veces?

—En teoría para digerir bien la comida. En la práctica, para advertir a la gente que el Estado tenía derecho a controlar incluso lo que ocurría dentro de su cuerpo, a regular hasta el funcionamiento de sus vísceras. Es sobrecogedor, ¿no?

—Yo mastico treinta veces cada bocado —respondió—. Para no engordar. Y otra cosa... ¿tú comes siempre así?

—¿A qué te refieres?

—A la cantidad.

—Pues... no siempre. A veces tomo dos platos. Y hasta postre, si estoy contenta.

—Ya —hizo una pausa, como si necesitara buscar las palabras para seguir, y me resigné a aceptar que,

172

si es que había entendido algo, la historia que le acababa de contar no la había impresionado en lo más mínimo—. Vale, pues entonces, si no te importa, preferiría que no comiéramos juntas.

—¿Qué pasa, te doy envidia?

No me quiso contestar, y entonces, por primera vez, me compadecí de ella.

No volví a ver a Eva hasta que nos encontramos en la terminal internacional del aeropuerto de Barajas, unos veinte días más tarde. Eso significa que, durante veinte mañanas seguidas, el primer propósito que formulaba al levantarme consistía en llamarla, quedar, ir a verla, lo lógico habría sido mantener un contacto frecuente antes de partir, preparar bien el viaje, pero nunca llegué a descolgar el teléfono. Por un lado, ella no había mostrado ningún interés en que nuestro encuentro se repitiera, y por otro, yo era más que consciente de que teníamos por delante siete horas de vuelo hacia Nueva York, una larga escala en una zona de tránsitos, y otro vuelo interminable hasta llegar a Los Angeles, tiempo suficiente para agotar el repertorio del más brillante de los conversadores, que tampoco era precisamente el caso.

La verdad es que existía una causa más, un motivo residual y sin embargo determinante, aunque de una naturaleza tan vergonzosa que ni yo misma me atrevía a admitirlo, y es que cuando más predispuesta estaba a la bondad y la comprensión, a la compasión y la solidaridad que sólo se alcanza mientras un sandwich de tres pisos esmaltado con espuma de cerveza viaja libre y feliz a lo largo y ancho del organismo, un pequeño incidente del tamaño de la catedral de Burgos me precipitó de golpe en la más injusta y rencorosa de las arbitrariedades. Eva me pidió que la acompañara a recoger un vestido, y yo la seguí sin sospechar lo que me jugaba en aquel breve viaje. Al pasar por delante del escaparate, reparé en que se trataba exactamente del tipo de tienda en el que las mujeres como yo nunca se atreven a entrar, pero entré, y asistí impasible a la procesión de una cofradía de oligofrénicas desnutridas, que se acercaban con gesto reverencial al probador cada vez que ella aparecía, siempre igualmente deslumbrante, con un modelo nuevo, que como el anterior, y como el inmediatamente sucesivo, parecían cortados exactamente a la medida de su cuerpo. Llegué indemne a lo que parecía el final de aquella escena. Disuelto el coro de dependientas —*¡qué mono te queda!, ¡te queda ideal!, de verdad, de verdad, ¡qué mono te queda!, la verdad es que te queda ideal, ¿eh?, de verdad, ¡es que te queda monísimo!, ideal, te queda ideal, ¿eh?, de verdad, de verdad...*—, se hizo el silencio, y Eva se acercó a la caja con la intención de pagar, pero entonces, en un quiebro imprevisto, sospechoso, se acercó a un expositor repleto de perchas, escogió una, y se dirigió a mí, éste te sentaría muy bien, me dijo, es precioso, ¿no te parece?

Debí de haber sido capaz de reaccionar, pero lo cierto es que el vestido era precioso —de verdad, de verdad—, y yo rica por primera vez en muchos años. Por eso no resistí la tentación de cogerlo, ponérmelo por encima y mirarme en un espejo, y no me fijé en la talla porque ni siquiera pensaba en comprármelo, no lo había escogido yo, aquello parecía simplemente un juego, hasta que escuché su voz, alta, rotunda, lo malo es que no tendréis talla para ella, claro, y un coro de risas del que se elevó un sonido agudo y sombrío a la vez, como el graznido de una corneja, pues es difícil desde luego, mejor que mire en otra tienda...

Era su respuesta, su venganza, el exacto precio de su hambre, y procuré encajarla bien, sin consolarme a mí misma, sin alentar ningún rencor, pero presentí que aquel episodio establecía la dinámica que regularía definitivamente nuestras relaciones. Ella utilizaba su cuerpo como escudo frente a cualquier ofensa, y lo lanzaba al aire como una jabalina envenenada cuando pretendía ser la ofensora. Yo dejé de luchar contra mis prejuicios acerca de las modelos, y me propuse no ceder nunca más a la compasión. Para conquistar el primero de estos propósitos apenas tuve que vencer obstáculo alguno —aunque a veces ni yo misma me lo creía del todo, Eva encarnaba meticulosamente el resultado de lo que parecía—, pero en el segundo fracasé casi de inmediato, porque su aplomo no sobrevivía más allá de los estudios fotográficos y los talleres de los modistos, y nadie habría podido reconocer a una *top model* internacional camino del estrellato definitivo, en el pajarito miedoso, encogido y asustado que se me pegó a los talones al bajar del avión en Nueva York, y no me dejó sola un instante ni para ir al baño.

—Es que me da cosa que alguien me diga algo —me explicó—, como no les entiendo...

—Pues no contestes.

—Bueno, sí, pero prefiero que no me dejes sola.

El cansancio acumulado durante las horas de vuelo, la tensión y la impaciencia que acaban estallando antes o después en el curso de un viaje semejante, habían atacado con saña su maquillaje, cada vez más apagado en la superficie pero de una consistencia progresivamente blanda al contacto con la piel, y cuando llegamos a Los Angeles, los exactos límites de la máscara que recubría su rostro eran tan visibles como las incipientes patas de gallo, los granitos y las marcas de expresión que no existían por la mañana. Su cara se había descolgado, y se descolgaba su cuerpo, sus hombros, cansados de estirarse para disimular una tripita minúscula, y por ello quizá más llamativa en un cuerpo tan delgado, mientras sus tobillos protestaban hinchándose, igual que los míos. No era más que un ser humano, una mujer sola en un país extraño cuya lengua no entendía, una criatura derrotada por el cansancio y abocada a superar una prueba muy difícil antes de disponer del tiempo suficiente para recuperarse del todo, eso me parecía, y me propuse cooperar en todo lo posible para que triunfara, cubrirle las espaldas, ayudarla, aconsejarla, vendérsela a Rushinikov como la actriz de su vida...

Sin embargo, cuando abrí la puerta de mi *bunga-*

low unas pocas horas más tarde, la única que seguía teniendo un aspecto horrible era yo. Ella resplandecía, y su expresión no mudó un ápice ni siquiera al bajar del coche de producción, a una distancia considerable de la puerta del plató pero más que suficiente para escuchar los gritos de un energúmeno que estaba jurando sobre todo lo que es posible jurar en lengua rusa. A modo de despedida, el chófer nos dedicó una mirada incierta, hecha a medias de temor y desaliento, a la que yo correspondí puntualmente, pero Eva, la más perfecta de sus sonrisas radiantes tan bien asegurada que parecía cosida sobre sus labios rojos, me miró como si estuviera sorda, y empezó a caminar hacia su destino con esa especie de prisa serena que sólo está al alcance de quienes ya se saben propietarios de una parcela en el Paraíso.

Identifiqué a Andrei Rushinikov sin necesidad de preguntar a nadie. De pie en el centro del plató, con unos vaqueros desgastados y una camisa roja de algodón que parecía tener vida propia, tan violentamente gesticulaba con los brazos mientras chillaba, era lo más parecido a un oso enloquecido de furia que he visto en mi vida. Mientras me acercaba, reconocí en su rostro los rasgos de un eslavo típico, de esos que se aprenden en las ilustraciones de los libros, un cosaco de toda la vida, el pelo negro, los ojos claros, la piel blanquísima, cejas muy pobladas y una mandíbula imponente, casi cuadrada, Taras Bulba, Miguel Strogoff, Pedro el Grande, recordé, Dios nos coja confesados, me dije mientras me acercaba.

—*Please* —le rogué, en un tono de voz casi inaudible al principio—. *Please, Mister Rushinikov...* —Y como no daba señales de haberme oído siquiera, me pasé al ruso—. *Pozhaluista...*

Sólo entonces se volvió para mirarme, y seguí en ruso, me presenté a mí misma, y presenté a Eva, hablé un par de minutos para un ceño fruncido, una frente huraña, un inconmovible muro de dos metros, y luego me aparté a un lado. Ella avanzó despacio, marcando los pasos con todo el cuerpo, le tendió la mano, ladeó la cabeza, imprimió a su sonrisa una variante que yo desconocía, le saludó en castellano con una voz tan acariciadora que se me olvidó traducir lo que estaba diciendo, y suspiró. La metamorfosis que se operó en él resultó todavía mucho más apabullante. Rushinikov se retiró el pelo de la cara con una torpeza casi juvenil, escondió las manos en los bolsillos del pantalón, sonrió, y contestó en inglés que la llegada de Eva era lo único agradable que le sucedía en muchos días, que estaba encantado de tenerla a su lado, y que le hacía feliz comprobar que, en persona, era mucho más exquisita aún que en las fotos. Esto sí lo traduje, y la sucesiva invitación para tomar un café y charlar un rato. Mientras los seguía hacia el exterior, había alcanzado ya ese estado propio de los intérpretes que permite traducir un discurso prestándole la mínima atención y pensar al mismo tiempo en otras cosas, y recuerdo perfectamente lo que me iba diciendo, misterios del alma eslava, hay que ver, jódete, Mari Loli...

Aunque a ratos me costaba trabajo distinguir entre Eva y mi propia sombra, y casi llegaba a echarla de menos cuando se encerraba en el baño para ducharse, enseguida tuve que admitir que mi protegida poseía, al menos, un talento instintivo: el de quitarse de en medio en los momentos críticos. Un segundo antes de que se desencadenara un problema de la especie que fuera, Eva olvidaba que estaba triste y muy deprimida, que nadie la comprendía y que yo era la única persona con la que podía hablar en el mundo, y se las arreglaba para desaparecer, abandonándome ante un enemigo polimorfo e implacable como un dragón de seis cabezas. Y a solas, como San Jorge, me pegaba yo con la *script* —porque llegábamos tarde a las citas—, con el maquillador —al que ella imponía productos y colores—, con la peluquera —que protestaba porque no se dejaba cardar el flequillo—, con el iluminador —que no iba a consentir que una actriz le prohibiera las luces laterales— y con la modista —porque se empeñaba en rodar con su propia ropa—. Añadir que también me pegaba con el director resultaría formalmente inexacto. Entre Rushinikov y yo había estallado la guerra.

Por las mañanas, cuando bajaba a desayunar, él estaba esperándome ya, siempre en la misma mesa. Así no podemos seguir, me saludaba, y antes del primer sorbo de café, ya me había tragado una bandeja de quejas y dos puñados de recomendaciones. Yo le daba la razón en silencio, porque no se puede ser actriz sin estudiar un guión, sin meterse en el personaje, sin acatar una disciplina de rodaje, pero me negaba a reconocerlo en voz alta, no tanto por eludir mi propio fracaso —aquellas larguísimas sesiones de entrenamiento de todas las noches, escamotearle horas de ensayo al sueño para machacar el papel palabra por palabra, gesto por gesto, indicación por indicación, y Eva rindiéndose siempre antes de echarse a llorar, no puedo, no puedo, es que, de verdad, no puedo más, tanto esfuerzo a cambio de nada— sino más bien para pagarle con su misma moneda, porque en el exacto instante en que la radiante sonrisa de Eva precedía a sus tacones en el umbral del restaurante, Rushinikov sonreía, se apartaba el pelo de la cara con cierta juvenil torpeza y dejaba que su voz reconquistara el territorio blando y bobalicón de los acentos adolescentes.

—La verdad es que es guapísima —me decía en ruso muy bajito, sin dejar de mirarla.

—Sí, es verdaderamente guapísima —asentía yo sin mucho interés.

—Buenos días —nos saludaba Eva, en un inglés perfecto, y luego proseguía, con mucha menos soltura—, ¿habéis lo dormido vosotros bueno?

—Desde luego —Rushinikov, en cambio, hablaba inglés mejor que yo—, aunque no nos ha sentado tan bien como a ti. Estás resplandeciente esta mañana.

—Dice que estás resplandeciente —traducía yo al castellano.

—¡Oh, qué amable! ¿A que es un encanto? De verdad... Muchas gracias.

—Dice que eres un encanto, que muchas gracias.

Los desayunos se parecían tanto a una batalla floral sobre un tablero de ping-pong que, cuando me levantaba de la mesa, casi me alegraba del trabajo suplementario que había aceptado a los tres días de mi llegada, el brevísimo plazo que resultó suficiente, sin embargo, para agotar las expectativas del director.

—He pensado que no conviene cansar demasiado a Eva —me sugirió discretamente, guardándose para sí las razones de su pensamiento—, que sería mejor reservarla para las tomas buenas... Si tú quisieras reemplazarla en los ensayos con los otros actores, en las pruebas de luces, en las de sonido...

Yo me sabía el papel de memoria, y cualquier tarea me parecía más gratificante que sufrir por ella desde detrás de la cámara. Además, estaba de acuerdo con él. Careciendo a partes iguales de método y de memoria, Eva corría el riesgo de perder la poca gracia que tenía si, durante el rodaje, se limitaba a repetir mecánicamente, sílaba por sílaba, un texto cuyo sentido no podía comprender. Por eso —por ella— no dudé en colaborar, pero mi nueva situación llegó a hacerme insoportable la arbitrariedad de aquel monstruo, que me corregía a gritos en las pruebas, para luego —después de haber gritado ¡cámara, acción!— limitarse a sonreír, quitando importancia a lo ocurrido, cada vez que ella se saltaba una frase, olvidaba la pronunciación de una palabra o se salía de plano por

181

la izquierda en vez de por la derecha. Hasta que una tarde, en pleno ensayo, estallé.

Aquella mañana, durante el desayuno, Rushinikov había invitado a Eva —en realidad hablaba en segunda persona del plural, pero mirándola a los ojos tan desmayadamente que yo nunca llegué a sentirme aludida— a la fiesta que por la noche celebrarían todos los rusos del equipo.

—¿Qué te parece? —me comentó ella entre codazos y risitas al salir del restaurante, con la misma expresión de una niña pequeña que acaba de ganar un peluche gigantesco en una tómbola—, no, si ya sabía yo que éste iba a caer...

Desde ese momento, no se había separado un segundo de Andrei, como lo llamaba ahora, pero eso no habría tenido ninguna importancia si las perspectivas de una inminente conquista no hubieran inflamado su carácter hasta prestarle la congestionada apariencia de un soufflé a punto de reventar un horno. Y vale que ligar es estupendo, pero el último límite de mi resistencia no sobrepasaba la prueba de traducir al español, una por una y durante dos horas de ensayo, las infinitas pegas que él había ido encontrando en todo lo que yo hacía o decía, para escuchar a continuación que ella estaba absolutamente de acuerdo.

—Muy bien —dije en ruso, desafiándoles con la mirada mientras tiraba el guión al suelo—. Pues hemos terminado por hoy.

—Bueno, yo me tengo que ir —el misterioso instinto de conservación de Eva superaba, entre otras muchas, las barreras idiomáticas—, tengo que arreglarme para la fiesta...

Rushinikov y yo nos quedamos solos de repente, solos por primera vez en un gigantesco estudio vacío, y después de recorrer el techo con la mirada un par de veces, me agaché para recoger el guión porque no se me ocurría nada mejor que hacer. Entonces, él echó a andar muy lentamente en mi dirección y me habló sin levantar la voz por primera vez en mucho tiempo.

—Perdóname, lo siento mucho.

Tampoco supe qué contestar a eso. Dejé el guión encima de una silla, me atusé el pelo, recogí la americana que había colgado de una percha al entrar y, cuando lo miré de nuevo, lo encontré a mi lado.

—Lo siento de verdad, perdóname... —Rushinikov me hablaba en un tono desconocido, sobrio y, sin embargo, casi íntimo, tan alejado del vinagre de los rodajes como de la melaza de los desayunos—. Necesito que Eva sepa qué es exactamente lo que espero de ella, qué quiero que haga y cómo quiero que lo haga. Compréndelo, es muy importante que te vea, lo único que yo pretendía...

—¿Y por qué no le chillas a ella? —protesté, con tanta fiereza que el tono de mi voz llegó a asustarme.

—¿A ella? —Parecía perplejo— ¡Ah! ¿Pero es que tú crees que se puede hablar con Eva?

—*Za Pushkina!* —exclamé sonriente, golpeando el tablero de madera con mi vaso y, antes de que la tónica mezclada con el vodka dejara de espumear, lo vacié de un trago.

—¡Por Cervantes! —contestó él con un acento más que pasable cuando los vasos estaban llenos de nuevo, y todos volvimos a beber alrededor de la mesa.

Creo que fue exactamente en aquel momento, entre Pushkin y Cervantes, cuando me di cuenta de que aquella chica tan alta, embutida en un vestido de noche de terciopelo negro —el pelo recogido hacia arriba en un moño muy elaborado, dos eternas cascadas de pedrería precipitándose en el vacío desde sus orejas, y guantes de raso largos hasta el codo—, que bostezaba aparatosamente contra una columna, no podía ser otra que Eva, y no dejó de asombrarme que al entrar en el bar, un local muy oscuro y con todo el aspecto de haber sido garaje hasta tiempos tan recientes que casi se echaban de menos un par de filas de coches aparcados a ambos lados, no sólo no la hubiera reconocido, sino que, más bien, se me hubiera olvidado que existiera.

En teoría, al salir del estudio, un montón de horas antes, Rushinikov y yo habíamos ido a tomar una copa para trazar su plan de trabajo, pero, en la práctica, él había empezado a hablarme de sus películas, y yo ya las conocía, y él se alegraba mucho, y yo había seguido hablando de Zamiatin, y él ya lo conocía, y yo me alegraba mucho, y luego me había

contado su divorcio de una ciudadana norteameri-
cana y yo le había explicado por qué había decidido
dejar hacía unos meses a mi novio de toda la vida,
y después él había enumerado las ventajas y desven-
tajas de vivir en un país extranjero, y yo había reca-
pitulado los pros y los contras de no moverse jamás
de la misma ciudad en la que uno ha nacido, y él
confesaba que había sido un niño muy malo, pero
yo había sido una niña muy buena, aunque él sacaba
muy buenas notas en el colegio, y yo también, y resultó que yo le parecía una mujer muy atractiva, y él
a mí también me parecía muy atractivo, no, pero
él lo decía en serio, ah... Y ahí me atoré, porque la
única imagen del mundo que fui capaz de recuperar
tenía el rostro de Eva, y el cuerpo de Eva, y la radiante
sonrisa de Eva, y por eso me acordé de la fiesta, pero
apenas fui capaz de retener algún dato más, porque la
mirada de Andrei trazaba escalas minuciosamente
equilibradas entre mis ojos y mi escote, y brillaba con
una luz tal vez más intensa que la de la ebriedad, y
contagiosa, que teñía mis mejillas de color, y cuando
volvió a mirarme, en el interior del taxi, su rostro re-
lucía como si estuviera iluminado desde dentro, refle-
jando el mío, y hasta llegó a sugerir que nos perdié-
ramos en cualquier bar, por el camino, para seguir
hablando de cine, y de libros, y de niños buenos y
malos, pero yo no me atreví a reaccionar, no dije
nada, y así llegamos hasta la larga mesa donde todos
los rusos de la película brindaban en voz alta antes
de golpear la madera con los vasos y vaciarlos de un

golpe después, riéndose sin parar, cantando a ratos, y nos unimos a ellos para brindar por Pushkin, y por Cervantes, y hasta entonces no escuchaba la música, pero cuando se apagó el eco del último brindis me puse a bailar yo sola, alrededor de la mesa, y bailé salsa, y cumbia, y hasta una rumba, y todos me aplaudían, me lo estaba pasando tan bien, y Andrei me abrazó cuando empezó a sonar un bolero de Olga Guillot, una canción muy lenta, y apenas nos movíamos, sin despegar los pies del suelo, cuando Eva, tan impecablemente maquillada, peinada, vestida, tan ridícula esta vez, se me acercó para pedirme por favor que la acompañara al hotel porque estaba muy cansada, y harta, y aburrida, y no le gustaba aquel trabajo, ni aquel bar, ni aquella gente, y no comprendía nada, y nadie la comprendía a ella, y ése fue el instante que él eligió para besarme en los labios, y mis labios besaron los suyos, y Eva estalló en sollozos, vámonos, por favor, vámonos, vámonos, por favor te lo pido, vámonos...

Cuando desperté, a la mañana siguiente, me encontraba como si mi cuerpo estuviera flotando en una piscina llena de una gelatina tibia y rosada, acogedora y húmeda, y era una resaca, pero era deliciosa, y me hubiera gustado apurarla del todo mientras la luz se filtraba con pereza entre las rendijas de la persiana, porque me había enamorado otra vez y no quería hacer ninguna cosa, sólo pensar en ello, sentirlo, acostumbrarme lentamente a la naturaleza de los prodigios.

Entonces, Eva abrió con su llave la puerta que comunicaba nuestras habitaciones, encendió la luz sin pedir permiso y taconeó enérgicamente hasta ganar el borde de la cama.

—No me zarandees, por favor, estoy despierta —supliqué con un hilo de voz—. Y apaga esa luz, ¿quieres? Hoy es sábado, no tenemos nada que hacer, no me pienso levantar...

—Tengo que hablar contigo, Lola —me interrumpió, y sólo entonces me devolvió a las adorables tinieblas que su irrupción había desvirtuado para siempre—. Quiero decirte que no me gustó nada lo de anoche. No deberías beber tanto. El alcohol es muy malo, ¿sabes? Apaga la piel y engorda. Cuando me preguntan qué hago para cuidarme, yo siempre contesto lo mismo. Dormir muchas horas, hacer una vida muy regular, no trasnochar, beber mucha agua...

—¿Por qué me vienes ahora con todo esto, Eva? Yo no soy modelo, ni actriz, ni nada. Puedo permitirme perfectamente cualquier irregularidad.

—Es que... —y su aplomo se deshizo en un puchero—, me siento muy mal, de verdad, estoy muy sola, yo... Me he equivocado aceptando este papel, no me gusta este sitio y Rushinikov se porta fatal conmigo, es un bestia, yo no sé...

Escuché infinitas variaciones del mismo discurso a lo largo del fin de semana, pero no llegué a impacientarme en ningún momento, porque la novedad estaba en mí misma. La compasión me había abandonado como suelen abandonar los amantes, las edades, los viejos amigos de la infancia: bruscamente y para siempre. Descubrí que mi repentina impasibilidad hacía mucho más fáciles todas las cosas, y el lunes por la mañana, mientras esperábamos al coche de producción en el vestíbulo del hotel, el espejo me devolvió una imagen inesperada, estrictamente opuesta a la que había obtenido hasta entonces, porque por primera vez, desde nuestra llegada, Eva no tenía muy buen aspecto. Yo resplandecía.

Sin embargo, durante toda la semana, Andrei siguió tratándola igual que antes, la misma dulzura, los mismos mimos, la misma paciencia infinita, el ligero e indefinible coqueteo que no llegaba a mejorar su humor, pero castigaba el mío como si cada palabra, y aún más, cada silencio, fuera un lento, oblicuo golpe de sable. A cambio, en los ensayos nos entendíamos muchísimo mejor, aunque no volvimos a hablar a solas, porque aquellos días coincidieron con los escogidos por la productora para abrir el rodaje a los medios de comunicación y cada noche teníamos un compromiso distinto, él en el punto de mira de todos los objetivos, yo sentada entre Eva y cualquier periodista en un sofá apartado, un cóctel para el equipo de televisión que estaba haciendo un reportaje, otro para los enviados de los diarios nacionales, otro para los corresponsales de la prensa especializada... Para el jueves por la noche, la organización no había previsto nada y yo tampoco, pero cuando ya estaba recogiendo mis cosas, a punto de marcharme, me detuvo una voz que hablaba en inglés, la suya.

—¡Eh, tú, chica española!

Me volví, y le encontré a mis espaldas, muy sonriente.

—¿Quieres cenar conmigo esta noche?

Mi cabeza se movió de arriba abajo sin que yo pudiera hacer nada por evitarlo, en el preciso instante que eligió el operador para cogerle del brazo y arrastrarle a la proyección.

—¡A las nueve en punto! —gritó—. ¡En la Steak House que hay detrás de tu hotel! —y añadió en español—: ¿Vale?

Vale, murmuré para mí, echándome a reír mientras recordaba hasta qué punto le había intrigado esa expresión que Eva y yo usábamos constantemente los primeros días, y apenas tuve tiempo de pensar en nada más, porque unos brazos frenéticos rodearon los míos desde atrás, anunciando el chillido agudo, histérico, que retumbó en mis tímpanos como las trompetas contra las murallas de Jericó.

—¿Has visto? —Eva me miraba con una expresión que no pude descifrar al principio, una especie de alegría simple y salvaje, el rostro de un perro que babea delante de un filete—. Si ya lo sabía yo, que éste iba a caer, ya te lo dije... ¿Dónde ha dicho que quedábamos?

—¿Qué? —pregunté, como si fuera imbécil.

—Andrei, mujer... ¿No le has oído?

189

—Sí —no fui capaz de mejorar mi intervención anterior—. Le he oído.

—¡Lola, por Dios, pareces imbécil!

—Sí...

—Andrei me ha invitado a cenar, ¿verdad?

—No sé. ¿Estás segura? —La miré a los ojos y no encontré en ellos ni la más leve sombra de duda.

—¡Claro que estoy segura! Ya me lo había avisado hace un par de días, que me estoy esforzando mucho y está muy contento conmigo, y que un día de éstos teníamos que quedar, ¿no te acuerdas? —Asentí con la cabeza, aquello lo había traducido yo misma—. Y me lo acaba de decir ahora mismo... He entendido lo de cenar, *dinner*, ¿no?, y la hora, *nine o'clock*, le entiendo mucho mejor que a todos estos americanos, pero no he cogido el sitio donde hemos quedado.

—En la Steak House que hay detrás del hotel.

No quise preguntarle en qué idioma pensaba hablar durante la cena. Estaba segura de que, fuera cual fuera, lo dominaría mejor que yo.

Cuando sonó el teléfono, hacia las diez y diez, ya había bebido, fumado y llorado todo lo que tenía que beber, fumar y llorar, había maldecido todas las cosas aptas para ser malditas —mi sujetador, el aerobic, la herencia genética, Coco Chanel...—, y había repetido varias veces todas las frases hechas que conocía al respecto, desde *todos los hombres son iguales*, hasta *yo lo que quiero ser es tonta*, pasando por *no aprenderé jamás*,

190

y *ésta es la última vez, ¡lo juro!*, pero todavía me quedaba un margen para el asombro.

—Es que no lo comprendo —Eva gemía desde el otro lado del hilo, su voz tiritaba con el desamparo de un niño pequeño que no acaba de comprender por qué le han castigado—, tenías que haberle visto... Cuando me vio llegar empezó a hacerme preguntas, en inglés, pero tan deprisa que no podía entender nada, y luego me preguntó por ti, y yo le dije, *I am here, Lola no is here,* y le sonreí, ¡pero se puso de una mala leche...! No ha querido cenar, ¿te lo puedes creer? Se ha tomado dos whiskies y luego se ha ido corriendo, en un taxi, porque tenía que ir a buscar a Serguei, creo, no sé, no le he entendido nada... Me ha dejado plantada en la puerta del restaurante y me he venido andando. ¿Qué me dices? Y ahora no sé qué hacer. Nunca me ha pasado una cosa así, con ningún tío, de verdad, nunca jamás...

Cuando colgué estaba tan nerviosa que no acertaba a hacer otra cosa que recorrer la habitación de punta a punta, andando tan deprisa como si tuviera que llegar a tiempo a alguna parte, hasta que me cansé, y me metí en la cama solamente para obligarme a estar quieta. Quizá llegué a dormirme un par de veces, pero sin lograr nunca abandonarme del todo, anclada en un muelle difuso que no era sueño, pero tampoco tierra firme, y por eso no reaccioné al escuchar las balalaikas, dulces y muy lejanas, y tampoco quise creer en aquellas voces, un armonioso concierto de susurros todavía, hasta que reconocí la melodía, inconfundible, cuando el volumen del canto ascendió de golpe, y las palmadas, los tacones que estallaban contra el suelo, marcaban el ritmo de una canción tan intensa, tan vigorosa, tan pura como si brotara de las mismas entrañas de la tierra.

Salté de la cama y corrí hacia la puerta cantando yo también, la emoción temblándome en los labios, *kalinka, kalinka, kalin...* Pero jamás, ni en sueños, me habría atrevido a imaginar un espectáculo semejante, tan grandioso que las lágrimas se escaparon de mis ojos sin que pudiera hacer nada por retenerlas. Estaba amaneciendo. Mientras el cielo se hinchaba lentamente, rindiéndose al calor, seis hombres locos cantaban para mí, y para que él bailara solo, el más loco de todos, una danza furiosa de cólera y deseo, soberbia como sus saltos y humilde como sus rodillas rozando el polvo, el baile de los cosacos, brazos que giran en el aire para impregnarlo de luz, y de vida, un cuerpo que se deshace en la música para imponer al mundo su sello, su ley y su fuerza. Eso sentía mientras le miraba, Taras Bulba, Miguel Strogoff, Pedro el Grande, y ojalá Dios no me coja confesada, y no podía dejar de llorar y de reírme al mismo tiempo, y mis ojos ardían, y ardía mi piel, y ardió mi alma cuando le vi saltar por última vez, y caer de rodillas ante mí, fatigado y poderoso, agitando el vuelo de mi camisón blanco.

Entonces escuché los aplausos, y todo volvió a empezar en un segundo, porque aquello no podía ser más que un sueño, un delirio estruendoso y benévolo, una trampa de mi amor dolorido, pero él rodeó mis muslos con sus brazos de carne verdadera, sentí el peso de su cabeza al apoyarse en mi vientre, y le escuché.

—*Skashi ej chtoby ona ushla...* —dile que se vaya, traduje para mí, y entonces miré a mi izquierda y la encontré allí, en la puerta del *bungalow* contiguo al mío, las manos todavía alzadas, como congeladas en el último aplauso, mientras él seguía hablando—, *ne muchaj meniá bolshe milaia* —no me tortures más, amor mío...

Antes de arrastrarle conmigo al interior, me despedí del mundo. La última imagen que contemplé en él fue el rostro de Eva, su ceño fruncido, sus ojos dilatados, su boca abierta, una mueca de asombro ocupando la plaza de una sonrisa radiante.

La buena hija

1

A las nueve en punto de la noche, cuando consideré que el agua había alcanzado ya el nivel preciso para desafiar a Arquímedes sin llegar a poner sus cálculos en entredicho, cerré el grifo y me dirigí al armarito que, en días horribles —como había sido aquél, sin ir más lejos—, se burlaba de mí por llevar todo el camino de convertirme en una vieja solterona clásica, más penosa aún, mucho más prescindible para el género humano que esas funcionarias cuarentonas, separadas ya de antiguo, que salen por parejas los viernes por la noche para precipitarse sobre el primer conocido que encuentran y preguntarle si está bebiendo solo o ha traído a su mujer. Allí, sobre tres pequeñas baldas de plástico blanco, me esperaban diecinueve tarros de cristal transparente, todos de tamaños y formas diferentes, con distintos tapones y contenidos: discos de algodón blanco, bolas de algodón de colores, sales de baño de fresa, y de frambuesa, y de frutos del bosque, polvos de talco con aroma a zarzamora, diminutos jabones perfumados con aspecto de conchas marinas, y de frutas, y de flores, manzanitas de madera con olor a manzanas de verdad, limoncitos de madera con olor a limones de verdad, virutas de madera con olor a madera de verdad, corazones de parafina soluble rellenos de aceite estimulante de color rojo, medias lunas rellenas de aceite tranquilizante de color azul, estrellas rellenas de aceite tonificante de color amarillo, tréboles rellenos de aceite relajante de color verde, todo cien por cien natural, tan pequeño, tan limpio, tan mono, sobre todo tan mono, y las etiquetas lo advierten, no experimentamos en animales, yo tampoco experimento, no tengo marido, no tengo hijos, no tengo amigos, no tengo trabajo, no tengo nada que sea mío excepto este armario, y la manía de coleccionar gilipolleces olorosas en tarros de cristal para colocarlos en su interior una y otra vez, como si me fuera la vida en que ninguno de ellos se mueva un milímetro del lugar que yo misma les he asignado, o como si simplemente necesitara creer, de vez en cuando, que me va la vida en algo...

Entonces sonó el timbre. Escogí un trébol relajante, era inevitable, y lo dejé caer en la bañera. Antes de salir al pasillo me miré en el espejo, de pasada, y contemplé una sonrisa de la que no era consciente. Tengo madre, recordé, y seguí sonriendo, pero a conciencia.

Me la encontré en posición de alerta, el cuello tenso, la barbilla alta, la espalda erguida con desprecio de las almohadas, y la yema del pulgar acariciando nerviosamente el pulsador de la pera de baquelita blanca que sostenía en la mano derecha, pero ya ni siquiera podía recordar cuántos años habían pasado desde que alguno de estos gestos logró inquietarme por última vez, así que me dirigí a ella sin atravesar siquiera el umbral de la puerta.

—¿Qué quieres, mamá?

—Berta, hija... —en ese momento me miró e hizo una pausa dramática, como una escala intermedia en el viaje que estaba a punto de transportar a su voz desde una premeditada autocompasión hasta una no menos premeditada perplejidad—, ¿por qué llevas puesto el albornoz?

—Porque estaba a punto de meterme en la bañera, mamá.

—Lo siento, hija, no lo sabía.

—Sí lo sabías —pronuncié las palabras despacio, sin alterarme, con el acento que animaría los labios de una estatua. Tampoco podía acordarme ya de los años que habían pasado desde que renuncié, no ya a exhibir cualquier dosis de dureza, sino simplemente a expresarme ante ella, una inversión perpetuamente inútil—. Te lo he dicho hace un momento, cuando he subido a llevarme la bandeja de la cena.

Entonces, súbitamente, se desmayó sobre las almohadas, resbalando por la pendiente de su blandura hasta quedarse tumbada, y dar paso así a una secuencia de movimientos que yo había contemplado miles de veces. Primero cerró los ojos. Luego, apretó la mano izquierda contra su frente como si sospechara tener fiebre. Por último, suspiró.

—¡Ay!

No le pregunté de qué se quejaba, porque sabía de sobra que no le dolía nada. Quejarse era su manera de demostrarme que se daba cuenta de que la había pillado en falta y que le daba exactamente lo mismo.

—¿Qué es lo que quieres, mamá? —insistieron mis labios de mármol—. Se me va a enfriar el agua.

—Abre la ventana, por favor, ¿quieres, Berta? Tengo mucho calor, me estoy ahogando, no puedo respirar...

—¡Pero si estamos en marzo! Fuera hace frío, no puedo... —Sus chillidos me impidieron terminar la frase.

—¡Quiero que abras la ventana! ¿Me oyes? ¡Abre la ventana, abre la ventana, abre la ventana!

—Mamá, te vas a poner...

—¡Nada! —seguía chillando con la voluntariosa terquedad de una niña pequeña, malcriada—. ¡Nada! No me puedo poner peor, porque me estoy ahogando. Me muero, me muero, ¡me muero! ¿Es que no lo entiendes?

—Mamá...

Renuncié a terminar la frase y me resigné a dar la noche por perdida, como había perdido aquel día, tantos días, años enteros a su lado. Abrí la ventana y salí de la habitación sin decir nada.

A las nueve y once minutos, me metí por fin en

una bañera llena de agua muy caliente, pero incapaz ya de humear. A las nueve y dieciocho sonó el timbre. A las nueve y veintiuno sonó el timbre. A las nueve y veintitrés sonó el timbre. Salí del agua, me puse el albornoz, mi madre tenía frío, cerré la ventana y bajé las escaleras corriendo, como si el baño interrumpido se hubiera convertido en una prioridad esencial. Debía de serlo, porque no se me consintió permanecer en él más de diez minutos. Mientras el timbre volvía a sonar, tiré del tapón y abrí otra vez el grifo del agua caliente para restablecer la temperatura. Los timbrazos se habían convertido en un concierto de ruido histérico cuando coloqué de nuevo el tapón en su sitio y, dejando el grifo abierto, acudí a descubrir que mi madre se ahogaba, se moría, no podía respirar. Abrí la ventana y, en contra de mis propias previsiones, descubrí que aquella noche —será la regla, pensé— me costaba trabajo conservar la calma. A mi vuelta, encontré indicios de humo, pero no me felicité por ello, ni siquiera me acordé de Arquímedes. Llorando de rabia, me quité el albornoz, lo tiré contra el armario, y me desplomé en el agua con un solo gesto, cayendo sobre ella como si fuera sólida, como si acabaran de fusilarme al borde de la bañera.

Las matemáticas no son una opinión. Con esa frase solía contrarrestar las argumentaciones de esos alumnos desaforadamente imaginativos, los más brillantes, que se empeñaban en disentir de axiomas y teoremas partiendo de su propio método. Pero las matemáticas no son opinión, y todo cuerpo sumergido en un líquido pierde una parte de su peso, o sufre un empuje de abajo arriba, igual al volumen del líquido que desaloja, así que el suelo del cuarto de baño se inundó con el exacto volumen del agua que mi cuerpo había desalojado al sumergirse. Me quedé mirándolo sin hacer nada, sumida en la desolación más absoluta, hasta que una nueva tanda de timbrazos puso el punto final a aquella dilatada secuencia de desastres. Ahora, con la ventana cerrada, mi madre se dormiría, y yo podría disponer de mí misma durante un par de horas, las justas para ver una película en la televisión después de haber exterminado el charco que brillaba sobre las baldosas.

Entonces, gracias a Arquímedes y a la formulación más aproximativa y grosera de su principio, esa gota que desborda el vaso del dicho popular, recordé un detalle que había permanecido enterrado en el último rincón del olvido más profundo durante todos los largos y estériles años de mi vida de mujer adulta, y me estremecí de nostalgia, y de desconcierto.

—¿Qué hago yo aquí? —me pregunté a mí misma en voz baja mientras, absorta en mi memoria y completamente sorda al estruendo que me reclamaba, ganaba muy despacio cada escalón—, ¿qué hago yo aquí, si yo, hace treinta años, decidí cambiar de madre?

Piedad era de estatura mediana, más baja que alta, y robusta sin llegar a ser gorda, un cuerpo redondo de carne dura, tan dura que mis dedos jamás acertaron a darle un buen pellizco de esos retorcidos, pellizquitos malagueños los llamábamos entonces. Ella sí me pellizcaba, jugando, para hacerme rabiar, pero luego me besaba, me daba cientos, miles de besos, en el pelo, en la frente, en las mejillas, besos rotundos, su boca clavándose en mi cara hasta hacerme casi daño, y besos sonoros, los labios fruncidos para emitir un pitido agudo y crujiente, besos sueltos o series de seis, siete besos breves y ligeros, cálidos y dulces, nadie, nunca, me ha besado tanto como Piedad.

Sé que cuando yo nací todavía no había empezado a trabajar para mis padres, y sin embargo, apenas conservo recuerdos de mi infancia que no le pertenezcan también a ella. Piedad me despertaba por las mañanas, Piedad me vestía y me peinaba, me daba de desayunar y me hacía el bocadillo para el recreo antes de llevarme al colegio. A la salida, por la tarde, me estaba esperando con la merienda al lado de la verja, y si tenía tiempo, me llevaba al parque, y luego me quitaba el uniforme, y me ponía un babi, y me daba lápices y un cuaderno para que dibujara en la mesa de la cocina mientras ella terminaba de planchar, repartiendo su atención entre el trabajo y los consultorios sentimentales de la radio, el transistor siempre encendido, siempre a mano. Piedad me bañaba y cenaba conmigo, me obligaba a lavarme los dientes y me arrastraba hasta la cama, y se sentaba en el borde a contarme unos cuentos muy raros de pastores y de ovejas, en los que no había princesas, ni siquiera niños y niñas, sólo mozos y mozas que comían pan con tocino, y las brujas no tenían poderes pero eran unas mujeres muy malísimas y muy avaras, que en vez de echar maldiciones subían las rentas todo el tiempo, y no había hadas, y por eso los buenos perdían casi siempre, pero a pesar de todo, a mí me encantaban los cuentos que se sabía Piedad, quizá porque nadie, nunca, me contó otros.

En aquella época, mis amigas y yo dedicábamos el recreo de todas las mañanas a perseguirnos por el patio para cogernos las unas a las otras. No recuerdo el nombre de aquel juego, pero sí una de sus reglas principales, que establecía ciertos lugares seguros para cada jugadora, refugios imaginarios que bastaba alcanzar para ponerse a salvo. Al llegar a cualquiera de esos puntos —un alcorque, un poste, un tramo de la pared o un barrote de la verja—, siempre gritábamos ¡casa!, no tanto para avisar a la perseguidora de turno como para desalentarla, y entonces, al gritar ¡casa!, yo siempre pensaba en Piedad, porque eso, exactamente, era Piedad para mí, un lugar en el que ningún enemigo me capturaría jamás, un castillo blando y caliente como una cama recién hecha, unos labios que siempre me besarían, unos brazos que nunca dejarían de abrazarme, una máquina de querer que funcionaba a tope, siempre igual, cuando me portaba bien y cuando me portaba mal. Piedad era ¡casa!, era mi casa, y era el mundo.

Aparte, al otro lado del pasillo, vivía mi familia.

El último regalo de la Naturaleza que mi madre estaba dispuesta a recibir con alegría a los cuarenta y un años bien cumplidos era un embarazo, y sin embargo, con esa edad me concibió a mí, la cuarta de sus hijos, justo cuando el primero, mi hermano Alfonso —que en mi memoria nunca ha dejado de ser un señor con traje azul y corbata que venía a comer a casa un domingo sí y otro no— terminaba la carrera de derecho con la intención de casarse inmediatamente después. De mis hermanas conservo más recuerdos, más precisos, aunque nunca llegamos a jugar juntas, ni siquiera a coincidir en el colegio. Cristina es catorce años mayor que yo, Cecilia dieciséis. Las dos se casaron a la vez, con apenas unos meses de diferencia, cuando yo estaba a punto de cumplir diez, y las dos se empeñaron en que llevara sus arras hasta el altar en una bandeja de plata. Lo hice muy bien las dos veces, sin tropezar y sin dejar caer ni una sola moneda, pero me aburrí mucho en los ensayos.

Bodas, bautizos, comuniones, cumpleaños, entierros, funerales y fiestas en general eran para mí días doblemente excepcionales, porque descosían la rutina de mi vida por dos costuras distintas. Por un lado, me ponía un vestido nuevo, me dejaba peinar con raya al lado y más esmero de lo habitual, asistía con gestos devotos a la ceremonia, cualquiera que fuese, y comía después en un restaurante. Por otro lado, imitando cuidadosamente a mi padre, a mi madre, a mis hermanos, me comportaba como si fuera un miembro más de la familia, ese conjunto de extraños amables y bienintencionados en general con el que me tropezaba a lo sumo un par de veces —un beso a la vuelta del colegio, otro por la noche, antes de irme a la cama— todos los demás días, mientras vivía con Piedad en sus dominios de la cocina, sin echar nada de menos.

En ese pequeño país —un vestíbulo de servicio, una cocina, un *office,* una despensa, un dormitorio y un aseo diminuto, con una bañera cuyo tamaño alcanzaba a duras penas la cuarta parte de la superficie de las restantes bañeras de la casa— transcurrió una infancia tan feliz como pueda llegar a serlo cualquier otra, los años más plácidos y emocionantes de mi vida. Piedad me quería, me cuidaba, se ocupaba de mí, y siempre —tal vez porque era muy joven, sólo un año mayor que mi hermana Cecilia— se las arreglaba para divertirse mientras lo hacía, por eso yo me divertía tanto con ella. También sabía ser severa, hasta estricta si lo consideraba necesario, pero ningún reproche, ni siquiera la más ácida de las regañinas, logró hacer nunca mella en la infinita confianza que me inspiraba, esa seguridad que me impulsaba a gritar su nombre, y no el de mi madre, cuando tenía pesadillas por la noche, hasta que los adultos decidieron que la mejor solución para el sueño de todos consistía en que me trasladara inmediatamente al dormitorio de Piedad, la única habitante de la casa que creía en mi miedo, y en mi angustia, la única dispuesta a levantarse de madrugada y ocupar un hueco en mi cama para combatir con palabras y caricias a los monstruos que me torturaban y que nunca más volverían a visitarme.

No dejaba de ser consciente de mi extraña posición en aquella casa, pero antes de alcanzar la edad suficiente para sentirme rebajada por frecuentar casi exclusivamente la puerta de servicio, ya había elaborado una fórmula satisfactoria, capaz de resumir el mundo sin obligarme a renunciar a nada. Todos los niños que yo conocía —mis primos, mis amigos del parque, las compañeras del colegio— tenían una sola madre, que sin dejar de ser ella misma, y según las funciones que desempeñara en cada momento, podía desdoblarse en dos seres distintos, con nombres distintos, *mi madre* y *mamá*. *Mi madre* era la autoridad, la señora que tomaba las decisiones importantes. Ella pagaba la matrícula en septiembre y firmaba las notas en junio, compraba el uniforme y los libros de texto, llevaba a sus hijos de visita los domingos y se encargaba de que las camas estuvieran hechas y la comida caliente todos los días. Después, cuando un niño tenía fiebre, cuando se caía del columpio y se hacía sangre en una rodilla, cuando lloraba porque los amigos habían dejado de *ajuntarle*, cuando le asaltaba la célebre hambre selectiva de chocolate al pasar junto al escaparate de una pastelería, cuando se rompía su juguete favorito o cuando, simplemente, le apetecía declarar una guerra de cosquillas, *mi madre* se disolvía en un instante, sin quejarse, sin llamar la atención, sin hacer ruido, para ceder su cuerpo y su rostro, sus manos y su voz, a *mamá*, una especie de hada doméstica con poderes suficientes para resolver la mitad de los problemas y hacer mucho más soportable la otra mitad. En la vida de todos los niños que yo conocía, una sola mujer bastaba para representar ambos papeles, pero en la mía había dos. Doña Carmen era *mi madre*. Piedad era *mamá*.

El detalle de que mamá cobrara un sueldo de mi madre los últimos días de cada mes no tenía ninguna importancia, porque la presencia de Piedad no se limitaba a los días laborables. Mis tías, algunas amigas de la familia y sobre todo mi abuela paterna, expresaron un profundo escándalo —que, en el caso de esta última, rayaba abiertamente en el desprecio hacia su hijo— el primer año que Piedad, después de pasar con nosotros en la playa el mes de julio, fue autorizada a llevarme consigo de vacaciones a su pueblo, una pequeña aldea de Segovia donde, por lo visto, me divertí muchísimo arreando ovejas cuando todavía no había cumplido los cinco años.

—¿Lo ves? —le dijo mi madre a su suegra cuando regresé a Madrid, más gorda, muy morena, y con un aspecto sanísimo—. ¡Si a los críos les sienta estupendamente el campo! Y a ver cómo me las habría arreglado yo en Javea con Berta y sin servicio, si las niñas no perdonan una noche sin salir, y tu hijo anda todo el santo día liado con el velero... Todas las vacaciones metida en casa, ¡ya me contarás, menudo plan!

Mientras Piedad fue una chica decente, con novio en el pueblo, sus jueves y sus domingos me incluían a mí tanto como ella estaba incluida en mis lunes y mis martes. Si había quedado con sus amigas en una cafetería, me invitaba a tortitas para que me portara bien, si iba de visita a casa de su hermana, que vivía en Vicálvaro, me dejaba jugando en el patio con sus sobrinos, si decidía ir de compras, me encargaba que vigilara la cortina del probador para que no la viera nadie, y después me dejaba entrar para que opinara qué vestido le sentaba mejor. Roque estaba siempre trabajando y nunca podía venir a verla —*que es lo que tiene, el ganado, que es muy esclavo,* le disculpaba su novia—, pero de vez en cuando, mi madre entraba en la cocina con gesto distraído, a media tarde, y le comunicaba que podía disponer del siguiente fin de semana.

—El señor tiene que marcharse el jueves, por negocios, y estará fuera cuatro o cinco días como mínimo, y las niñas me acaban de decir que se van el viernes por la tarde a casa de su abuela, a Torrelodones, así que, total, para lo que vamos a ensuciar Berta y yo, si te quieres ir el sábado a ver a tu familia...

En ese momento, yo siempre dudaba entre añadirme, por derecho propio, al grupo de «las niñas» y anunciar que, por mucho que protestaran mis hermanas, yo también me iba a Torrelodones, o esperar al sábado por la mañana para marcharme con Piedad a su pueblo, y siempre escogía el segundo plan, porque mi abuela materna, propietaria de la hermosa casa de campo en la que nadie podía imaginar aún que transcurrirían tantos años de mi vida, era buena y cariñosa, pero sólo le gustaba jugar al Scrabble inventándose palabras todo el rato, y perder con ella era muy aburrido. Además, Piedad se ponía muy contenta cuando, a mediodía, recién peinada y agitando las manos en el aire para que se le secaran pronto las uñas pintadas de rojo oscuro, mi madre, con la cara embadurnada de barro —su mascarilla favorita—, entraba en la cocina, se me quedaba mirando y me decía, con la mueca propia de quien transige en un detalle sumamente doloroso:

—¿Quieres irte tú también, Berta? Si a Piedad no le importa...

A Piedad solamente le importó una vez, porque sospechaba que yo estaba incubando algún virus infantil, y aunque se ofreció a quedarse conmigo, no obtuvo permiso para hacerlo. A la hora de comer, la piel de mi pecho comenzó a explotar despacio, discretamente, apenas seis o siete pequeñas ampollas translúcidas, pero cuando mi madre se acercó a mi cuarto a media tarde para despertarme de la siesta, la erupción ya se había desbordado, invadiendo mi cara, mis brazos, mi estómago, una varicela de las que hacen época.

—No te rasques —me advirtió, después de instalar un televisor pequeño sobre la cómoda y abandonarme en dirección al salón, donde la esperaban ciertos misteriosos invitados—, y menos en la cara. Aguanta el picor o te quedarán señales para toda la vida. Y no te muevas de la cama, eso sobre todo. Ya vendré yo a verte de vez en cuando...

Pero la varicela tiene una ventaja, no se pasa más que una vez en la vida, y hubo otros fines de semana para salir al campo a coger moras, tardes de río y mallas repletas de cangrejos vivos, noches en las que hacer burla de la nieve al amparo de un fuego de leña, muchas procesiones y muchas romerías, muchas mañanas de sol para subir al monte con la comida de Roque, y comer con él encima de una peña. Mientras tanto, mi amor por Piedad perdía poco a poco el carácter de una vocación para convertirse en un ingrediente esencial, natural, absolutamente indisociable de mi propia vida.

—¡Berta! —La misma mañana de su boda, Cristina irrumpió en el salón sin avisar, con la maquinilla que usaba para afeitarse las piernas en una mano y cada uno de los nervios de su cuerpo concentrado alrededor de su boca, que se desencajaba en cada chillido—. ¿Dónde has metido el taburete del baño?

Todos —mis padres, mis hermanos, mis abuelos, los amigos íntimos que se habían reunido en casa para acompañarnos a la iglesia— me miraron a la vez, suplicando con los ojos una respuesta rápida y eficaz, porque la histeria de la novia rebasaba ya, con creces, la paciencia de un santo.

—Ten por cierto, Cristina —contesté, nerviosa, sin escoger mucho las palabras—, que yo no he ocultado el escabel.

—¡Qué barbaridad! —dijo el mejor amigo de mi padre, al que llamábamos tío Armando aunque no formara parte de la familia—. ¡Pero qué bien habla esta niña!

—Sí —contestó mamá, sin darse importancia—, es que es muy estudiosa...

Eso era verdad, pero yo no había aprendido en ningún libro a hablar el castellano característico de la zona rural frontera entre las provincias de Burgos y Segovia ni, desde luego, era capaz de utilizarlo a mi antojo. Aquélla era, simplemente, mi lengua materna, la lengua de Piedad, que distinguía perfectamente entre la pronunciación de poyo y la de pollo, y bromeaba afirmando que en mi casa, todos los jueves, se comía banco de piedra estofado.

Nadie advirtió la verdad, quizá porque en la época en la que se casaron mis hermanas, hacía ya más de dos años que sólo íbamos al pueblo en verano, dos años desde que Piedad y yo no nos sentábamos juntas, ni siquiera en la misma fila, cuando íbamos al cine.

2

Al verla salir del baño, frotándose las manos con
una insistencia que aplicaba un barniz de desesperación sobre un gesto tan trivial, apenas reparé en la
desaforada dosis de crema Atrix que embadurnaba sus
dedos, sus palmas, sus muñecas, aunque hacía ya varias tardes que asistía, perpleja, a la repetición constante de aquella escena, Piedad combatiendo la aspereza escarlata de su piel —no podía fregar con
guantes porque los platos y los vasos se le escurrían
para estrellarse contra la pila sin que sus yemas lle-
garan a echarlos de menos— con un tarro de tamaño
familiar que, de seguir así las cosas, no le iba a durar
ni dos semanas. El espectáculo de su rostro, mucho
más extraordinario, atrajo instantáneamente mi atención, en cambio.

—No me pongas esa cara —murmuró ella cuando
se dio cuenta, sin dejar de frotarse nunca las manos—.
No me apaño muy bien, ya lo sé, como no tengo
costumbre...

—Pero ¿qué dices, Piedad? —protesté—, ¡si estás guapísima! Nunca has estado tan guapa como
ahora.

Y era sincera. Hasta entonces, siempre había pensado que Piedad no se pintaba porque no lo necesitaba. Que mis hermanas, pese a ser más jóvenes que ella, nunca salieran de casa con menos de tres tonos distintos en cada párpado, no tenía mucho misterio, porque todas nosotras, incluyendo a mi madre —cuyo principal objetivo en esta vida consistía en aparentar diez años menos de la edad que tuviera en cada momento—, siempre hemos sido más feas que Piedad. La elegancia, el estilo, la clase, la calidad de la ropa, el corte de pelo mejor elegido, la destreza para andar con gracia sobre unos tacones, tenían poco que hacer frente a la intensa dulzura de aquellos ojos verdes de un brillo casi líquido, salpicados de motitas doradas que retenían la luz para despedirla después a su antojo, resplandeciendo en un óvalo de proporciones perfectas, la nariz recta y pequeña, los labios carnosos, de contornos tan limpiamente definidos que parecían obra de un lápiz, y esa barbilla impecable, una curva aguda, pero no afilada, donde se lee la marca de la belleza genuina. Piedad no necesitaba pintarse, pero estaba más guapa pintada, sobre todo aquella tarde de estreno, mientras una luz incierta, que yo no podía interpretar, sembraba de sombras el reluciente espejo de su rostro.

Nunca, tampoco, la había visto tan nerviosa, de eso estaba segura.

—Y tienes que prometerme que te vas a portar bien —me dijo en el ascensor—, que no protestarás aunque te aburra la película, que no pedirás más

que una cosa, patatas o palomitas, ve pensándotelo...
He quedado con un amigo mío, ¿sabes? Vendrá con
nosotras al cine. Quiero que seas muy simpática con
él, Berta, pero sin llegar a aturdirle, ya sabes. Me cae
muy bien, y... en fin, me encantaría que no metié-
ramos la pata.

Cualquier otro día habría reparado en la generosidad de Piedad, que solía hablar en primera persona
del plural para prevenirme de un riesgo inminente,
pero le vi a través de la cristalera del portal cuando
aún no había tenido tiempo de prometer nada, y le
reconocí a pesar del abrigo gris, largo hasta los pies,
que acortaba su estatura a cambio de hacerle parecer
más fuerte, porque ni queriendo habría podido olvidar su pelo, abundante y tieso, cortado a cepillo, o la
perenne expresión de tristeza que habitaba en su
boca.

Ella me lo presentó como si nunca nos hubiéra-
mos visto, y entonces me di cuenta de que antes,
cuando nos tropezábamos con él en el pueblo, jamás
le saludaba aunque por fuerza se tenían que conocer.
Eugenio no vivía en Montejo, pero aparecía por allí
en Semana Santa y solía volver para las fiestas de
agosto, conduciendo un coche blanco lleno de niños
con los que Piedad no me dejaba jugar, pese a que
vivían justo en la casa de enfrente. Ahora, sin embargo, le cogió del brazo para cruzar la calle y,
cuando la acera empezó a ser demasiado estrecha para
los tres, prefirió soltarme de la mano a desprenderse
de la manga de lana gris. En el vestíbulo del cine, los

dos se ofrecieron a la vez a comprarme una cosa, patatas él, palomitas ella, pero antes de entrar en la sala sujetando una bolsa de plástico con cada mano, ya sospechaba que tanta generosidad aparejaría ciertas contrapartidas, y no me equivoqué. Piedad escogió una de las últimas filas del cine y avanzó entre las butacas con decisión. Yo la seguí, rezongando, sin darme cuenta de que Eugenio no venía detrás de mí, pero cuando aún no había terminado de protestar por estar sentada tan lejos de la pantalla, una mano brusca, muy grande y muy morena, rematada por cinco sombras oscuras —huellas indelebles de la mugre que, de lunes a viernes, solía estar alojada bajo el borde de las uñas— avanzó sin previo aviso desde la fila de atrás, colándose entre mi cabeza y la de Piedad para posarse después en su cuello y quedarse allí, sin moverse, sin esbozar siquiera una caricia, mientras las luces se apagaban para dar paso al No-Do. Luego, tras el breve paréntesis de normalidad del descanso, una extraña charla triangular, Piedad se levantó —ahora vuelvo, me dijo— y se pasó a la fila de atrás, de donde no volvió hasta que las luces se encendieron de nuevo.

No me acuerdo de la película que vimos aquella tarde, pero estoy segura de que logró atraparme, zambullirme de cabeza en su historia, porque no me volví ni una sola vez. Con otras películas todo sería distinto, pero al cabo de unos meses, Piedad renunció incluso a la oscura complicidad de las salas de reestreno para abrazar y besar a Eugenio delante de mí y

216

al aire libre, en los merenderos de la Dehesa de la Villa, en las verbenas de los barrios periféricos, en las supuestamente lujosas cafeterías de la calle Preciados, o hasta en la esquina de mi casa, Conde de Xiquena con Bárbara de Braganza, tan lejos del cochambroso cine Chueca —que, a despecho de su nombre, se alzaba justo en la esquina donde la Plaza de Chamberí desemboca en el Paseo del Cisne—, que les cobijó por primera vez. Yo encajé tales prodigios con el ánimo más favorable que una pareja puede esperar de un hijo adoptivo, pero en mi actitud pesaba mucho más el cálculo interesado que cualquier hipotética capacidad para comprender fenómenos que estaban muy por encima de mi más precoz inteligencia, si es que mi inteligencia fue precoz alguna vez.

La próxima, aunque nunca del todo inminente, boda de Piedad, que bordaba sábanas y manteles en sus ratos libres y siempre, cuando se encontraba con Roque, cotejaba los números de su cartilla con los de la cartilla de su novio, dejó de proyectar sobre mi futuro las afiladas sombras de una espada impaciente. Piedad ya no pensaba en casarse. Eso se lo debía a Eugenio, y también las explosiones de euforia de los primeros meses, esa especie de locura, como un brote de felicidad desatada, un calor parecido a la fiebre, a la dorada ebriedad de la que hablan los textos antiguos, el temblor que yo jamás he padecido sino en ella, a través de ella, porque Piedad brillaba, iluminaba el mundo, lo transportaba entero sobre la nube que defendía sus pies del polvo, y reía, se reía sin tener motivos, y se echaba a llorar sin dejar de reír, y cuando la miraba, me parecía una niña pequeña, más pequeña que yo, menos consciente, y al mismo tiempo una mujer enorme y lejana, solemne como una estatua, distinta como una diosa, y única, porque era todas las mujeres a la vez, todas las mujeres vivían en ella, y este planeta había nacido, se había formado, y había crecido para Piedad, para que Piedad sintiera, para que Piedad amara. Yo, que nunca he formado parte de los escogidos, viví también aquel amor como una pasión propia, lo seguí de cerca, con ojos atentos, avariciosos, sin palabras aún para explicármelo pero con abrazos para compartir, y me aprendí las letras de decenas de boleros, afirmaciones de amor total, quejas de amor venenoso, llantos de amor traicionado, y sentencias todavía más tremendas, más absolutas, más hermosas aún, pero más brutales, yo no sé si tendrá amor la eternidad, cantábamos, pero allá tal como aquí, en la boca llevarás sabor a mí...

Después, Piedad perdió las ganas de cantar para murmurar entre dientes aquella frase terrible, este hombre va a ser mi ruina, y nunca lo decía una sola vez, sino que lo repetía deprisa, para sí misma, como rezando, este hombre va a ser mi ruina, este hombre va a ser mi ruina, y a mí me daba miedo oírla hablar así, y me daba miedo ver lo deprisa que cambiaba, porque seguía siendo una mujer diferente, distinta a la que fue antes y a todas las demás mujeres que yo conocía, y seguía estando muy guapa, pero sus mejillas se teñían de otro color, un rojo más oscuro, más cerca del morado, y ya no alternaba la risa con el llanto, pero pasaba mucho tiempo sentada en una silla sin mover un músculo, los ojos fijos en la pared, los labios soldados, completamente sola aun estando conmigo, y a ratos se volvía loca otra vez de la buena locura, la locura de antes, pero luego empezó a contagiarse de una locura nueva, turbia, peligrosa, locura de la ira y del despecho, como un presentimiento de desesperación, y se pasaba las mañanas de domingo tumbada en la cama, mi madre se quejaba, ya no trabajaba tan bien como antes, y yo no podía encubrirla porque no la entendía, no comprendía por qué estaba cambiando tan deprisa, hasta que llegó un momento en que se quedó como estaba, terca, triste, y ya no pasó nada, sólo el tiempo, y cumplí diez años, y luego once, y Piedad empezó a dejarme en casa cuando quedaba con Eugenio aunque le veía menos que antes, y nuestra vida recuperó una cierta rutina antigua hasta que se decidió a romper con él, y entonces descubrí que todo podía ser muchísimo peor.

—Esto es lo que tendría que haber hecho hace años —me dijo al volver a casa mientras la ayudaba a preparar la cena—, en lugar de perder tanto el tiempo, porque no se puede vivir así, como yo he vivido. Tú lo entiendes, ¿no, Berta? —En ese momento levanté los ojos para mirarla y la encontré muy tranquila, tan serena como su voz. Sonreía.

—Claro que sí, Piedad —contesté, aunque me imaginaba que había hecho aquella pregunta por hablar, y no porque le interesara de verdad conocer mi opinión—. Y has hecho muy bien.

—Sí, yo también lo creo —asintió—. No había otro camino, no había... otra... otro...

Entonces se detuvo, pero yo estaba segura de que aquella pausa no tenía otro objeto que dejar pasar el tiempo mientras escogía bien las palabras, y no levanté los ojos de la lechuga que estaba picando hasta que noté que se había desplomado hacia delante. Cuando la miré, estaba doblada sobre sí misma, la cabeza apuntando al suelo, el pelo balanceándose en el aire, lacio, como muerto, y los brazos cruzados alrededor de la cintura, abrazando la repentina deformidad de su cuerpo. Me abalancé sobre ella y no conseguí enderezarla, pero sujeté su barbilla entre las manos para obligarla a levantar la cara, y era tal la expresión de dolor que vi en su rostro —la frente arrugada, los párpados apretados, la boca fruncida, como si la mano de un dios, o de un demonio, le hubiera estrujado la piel hasta concentrar todos sus rasgos en el centro—, y tan sordas las quejas que al nacer parecían desollarle la garganta, que me convencí enseguida de que Piedad había sufrido un ataque, un infarto, un cólico, algo parecido, pero cuando salí corriendo de la cocina con la intención de avisar a mi madre para que llamara al médico, ella salió corriendo detrás de mí.

—Déjalo, Berta —me dijo, agarrándome por los hombros—. No te asustes, no es nada...

Y, sin embargo, fue todo. El dolor, la desesperación, una falsa indolencia, la muerte en vida, sucesi-
vas etapas de una enfermedad crónica, un virus sin
remedio, una infección mortal e intermitente. La primera fase pasaba deprisa, pero el corazón seguía re-
torciéndose cuando dejaba de retorcerse el cuerpo, y
luego era peor, porque vómitos y jaquecas, insomnio
y falta de apetito resultaban mucho más tolerables
que la apatía y el silencio, o la lentitud con la que
Piedad arrastraba las zapatillas por el pasillo, como si
solamente mover los pies le exigiera un esfuerzo
atroz, insoportable. Yo la miraba y sufría con ella,
porque hacía ya muchos años que había desdeñado
la última oportunidad para elegir, y mi destino estaba
ligado a la supervivencia de aquel fantasma por lazos
mucho más intensos que los de la sangre, si es que
esos lazos existen. Yo había querido amar a Piedad,
la había elegido, la había adoptado, había invertido
en ella toda mi fe, todas mis risas, todos mis besos,
ya no podía encontrar un camino de vuelta y además
me negaba a encontrarlo. A cambio, me propuse que-
rerla más que nunca, e intenté distraerla, sacarla de
casa, bombardearla con chismes, con chistes, con historias verdaderas o inventadas, y no conseguí nada,
no fui capaz de moverla ni un milímetro del centro
del pantano en el que se iba hundiendo lentamente,
pero cuando más perdida parecía, un domingo por la
tarde me vio fregando los platos y esa imagen por fin
la hizo reaccionar.

—¡Deja esa copa inmediatamente, Berta! —gritó

casi, levantándose de la silla desde la que fingía mirar la televisión.

—Si no me importa fregar... —protesté, sin mucha convicción.

—Pero a mí sí me importa que friegues —contestó—, porque tú eres una niña, y los niños no trabajan. Además, éste es mi trabajo, no el tuyo. Hasta aquí podíamos llegar —se lanzó sobre la vajilla con una energía que no desplegaba desde hacía meses, y siguió murmurando entre dientes—. Esto no puede ser, Dios mío, no puede ser. Todo esto es una locura...

Desde aquella tarde, Piedad se esforzó en bordar sus tareas, recobrando el nivel de eficiencia del que tanto se maravillaban las amigas de mi madre antes de que empezara a salir con Eugenio, pero la precisión mecánica de todos sus gestos, la dureza de su rostro, el silencio de sus labios, revelaban, tras una aparente recuperación, el nacimiento de otra Piedad, una muñeca articulada, indiferente, fría, que me gustaba todavía menos que la mujer desesperada, pero por tanto viva, que había sido antes. Por eso me alegré tanto aquella tarde de primavera, cuando me encontré con Eugenio en la puerta del colegio. Ya había cumplido doce años y solía volver a casa sola, pero Piedad todavía venía a recogerme algunas veces cuando tenía que hacer recados por el barrio, y la busqué con los ojos hasta que me di cuenta de que su novio iba vestido con un mono azul, y recordé que nunca le había visto así a su lado.

—Hola —le di un beso en la mejilla—. ¿Qué haces aquí?

—He venido a verte —me contestó en voz baja, titubeando, como si se arrepintiera de cada palabra que pronunciaba—. ¿Piedad...?

—No, ella ya no viene a buscarme. Ya soy mayor.

—Claro...

Nos quedamos parados en medio de la acera, sin decir nada, yo le miraba con curiosidad, él se miraba la punta de los zapatos mientras le daba vueltas y vueltas a un papelito que sostenía con las dos manos, a la altura del pecho. Así dejamos pasar cuatro o cinco minutos, tal vez más, y nunca he vuelto a ver un rostro tan sombrío.

—Bueno, Eugenio —rompí el silencio con el acento más corriente que pude improvisar, porque no podía estar toda la vida esperándole—, pues me tengo que ir a casa.

—No, espera...

Todavía hizo una pausa, como si necesitara respirar antes de decidirse.

—Toma —me tendió aquel papel con las dos manos en un gesto brusco y solemne a la vez, que me recordó el que hacen los sacerdotes en misa cuando elevan la hostia consagrada—. Es para Piedad. Lo he copiado de un almanaque.

Era una hoja arrancada de un bloc de papel cuadriculado, corriente, de esos que tienen el espiral arriba, escrita por una sola cara con un bolígrafo azul y la caligrafía redonda, trabajosa, de un mecánico de

223

coches apenas acostumbrado a apuntar alguna cifra, y sin embargo, la expresión de sus ojos líquidos, el temblor de sus manos aún extendidas y, sobre todo, el color de sus mejillas, un sonrojo impensable en un hombre tan mayor, me convencieron de que aquella nota era muy importante para él. Cuando me la metí en el bolsillo doblada en cuatro, tal y como la había recibido, me pregunté si Eugenio sabría que Piedad nunca había aprendido a leer, pero después de despedirme de él, comprendí que ni siquiera ese detalle tenía importancia.

—Adiós, Berta —murmuró, y cuando ya me había alejado unos pasos, sin moverse del sitio, añadió aquello—: Y dile que me estoy muriendo.

Empecé a leer en alto sin entender muy bien por qué me estaba poniendo tan nerviosa, *Cuando pienso en tu vida y la mía,* pero aquel papel arrugado y sucio, estampado de manchas de grasa negruzca, me bailaba entre los dedos, y mi voz sonaba como si estuviera a punto de rendirse en cada sílaba, *y las sombras me rozan la piel,* mientras Piedad, apoyada en el borde del fregadero, me miraba de frente, sin fingir ya indignación, como al principio, *una voz me murmura al oído:,* pero tranquila, segura todavía de sí misma, de su desprecio, *déjala, no la puedes querer,* aquél era el primer golpe, y ella lo acusó cerrando al mismo tiempo los ojos y los puños mientras yo seguía leyendo, sin marcar pausa alguna entre las estrofas, *Yo le doy la razón, pero luego,* los puños cerrados se estrellaron contra las puertas del mueble donde guardábamos el cubo de la basura, golpes apenas testimoniales, flojos al principio, *no consigo ocultar la verdad,* que fueron ganando en intensidad hasta adquirir el eco de la violencia auténtica, *y otra voz, más profunda, me dice:,* en aquel instante me arrepentí de haber cedido ante Eugenio, porque Piedad se estaba destrozando los nudillos, *nunca vas a poderla olvidar,* y yo no podía ver otra cosa que odio en sus ojos cerrados, odio en sus labios fruncidos, odio en su rostro, en sus gestos, ella entera una imagen del odio, aunque algunas lágrimas sueltas se desprendían ya de sus pestañas, como por azar, *No conozco la sierra sin nieve,* entonces empezó a susurrar, hijo de puta, hijo de puta, hijo de puta, *no comprendo el invierno en abril,* pero el sonido de sus insultos no me engañaba, porque Piedad lloraba por fin de verdad, lloraba como si quisiera secarse para siempre, vaciarse de todo, nacer de nuevo, *sin poesía no sufro la noche,* y la emoción liberó a sus manos de la misión de la violencia, e hizo resplandecer su rostro como si una luz misteriosa hubiera trepado en secreto por su garganta, y el vello de sus brazos se erizó, y se le erizó el alma, y cuando levanté la vista por última vez, sentí que mi estómago se ahuecaba de repente, y presintiendo el sabor de mis propias lágrimas, saladas y mansas, leí en un sollozo el último verso, *no me explico la vida sin ti.*

Después, agotado mi llanto y el suyo, con los ojos muy abiertos y los dedos apretados contra las mejillas, intentando aplacar su calor, Piedad me preguntó por el único detalle que no había previsto.

—¿Lo ha escrito él?

Yo bajé la cabeza, como si necesitara estudiar bien la cuartilla antes de responder, y fijé la mirada en la última línea, aquel nombre tan largo que parecía otro verso.

—Pues claro —contesté, sin mentir todavía—. ¿Quién lo iba a escribir?

—Me refiero a si ha compuesto él los versos, o son de otro.

Volví a hundir los ojos en aquella letra torpe, de trazos infantiles, cuatro cuadraditos para cada redondel, cuatro para cada palote, y aquel apellido perfectamente escrito, Bécquer, con una c delante de la q, y hasta el acento, un trazo rígido, diminuto, sobre la primera e, y sentí por Eugenio la misma imprecisa ternura que habría sentido por un bebé, por un cachorro, por un ser indefenso y condenado, por cualquier criatura sin suerte.

—Me ha pedido que te diga que se está muriendo —entonces la miré—. Y creo que es verdad.

—¿Y yo? —me preguntó—. ¿No me estoy yo muriendo? Y la culpa es suya, suya, que se casó con otra...

La última palabra se le quebró en los labios como si la hubiera partido con los dedos, y entonces comprendí que estaba a punto de volver a llorar, y me dije que Piedad no sabía leer, que nunca distinguiría aquel nombre tan largo del resto de las líneas, y lo

226

que dijera el poema le daba lo mismo, sólo había un par de versos importantes para ella y ésos ya se los sabía de memoria, ésos no los olvidaría jamás.

—Aquí no pone nada —comenté, renunciando a contestar a su última pregunta—. No tienen firma.

—¿En serio? —su voz todavía temblaba.

—Sí —la mía, en cambio, no se alteró—. Estoy segura de que los versos son suyos.

Por fin sonrió, y no me arrepentí de haber mentido, porque nadie en el mundo necesitaba más poesía que Piedad para sufrir aquella noche.

Mis cálculos se revelaron tan exactos como sospechaba, y Piedad jamás me reprochó que la hubiera engañado, si es que, tras la reconciliación, Eugenio admitió alguna vez el fraude del poema que yo había robado para él, pero la profecía que ella había aventurado entre dientes un día tras otro, durante tantos años, terminó por cumplirse también, y aquel hombre fue de verdad su ruina, y fue la mía, hasta que no hubo nada que pudiéramos llamar nuestro.

—¡Tú...! ¡Eh, tú, niña! Espera un momento...

Jamás había escuchado aquella voz, y sin embargo todavía sueño con ella algunas noches.

Piedad me había mandado a la calle a traición, porque se había quedado sin pan rallado con los filetes rusos a medio hacer, y yo caminaba tan deprisa como podía, no tanto por miedo a encontrarme echado el cierre de aquella tiendecita de la calle Barquillo que estaba abierta hasta que se hacía de noche, como porque nada podría consolarme si me perdía el final del episodio de *El conde de Montecristo* que había tenido que dejar colgado, cuando ya se veía venir que el prisionero anciano de la barba blanca iba a revelar a Edmundo algún tremendo secreto. Por eso no me detuve, no volví la cabeza siquiera, diciéndome que una voz tan desconocida no podía referirse a mí, pero ella me alcanzó corriendo y me agarró del brazo entre jadeos, y me obligó a volverme, y vi a una vieja desgreñada, vestida de negro, que me miraba con una expresión en la que se mezclaban la mala leche y una cierta ausencia, cara de bruja quizá, cara de loca.

—¿Tú sabes que tu madre es una puta, niña?

Me quedé inmóvil, clavada en el suelo. Durante un par de segundos no respiré siquiera, y no vi nada, ni oí nada, como si estuviera encerrada en un paréntesis de irrealidad, fuera del mundo. Luego noté la presión de sus dedos, me estaba haciendo daño.

—¡Déjeme en paz! —chillé, e intenté escaparme, pero ella me sujetaba con fuerza.

—Una puta, tu madre, eso es lo que es, una maldita zorra, y una cabrona, y así se muera y te quedes sola, como se está quedando sola mi hija...

La tiré al suelo de una patada y eché a correr. Cuando llegué al ultramarinos, pedí un paquete de pan rallado como si no hubiera pasado nada. El tendero, que me conocía desde pequeña, estaba comentando con su mujer el episodio de aquella tarde, discutiendo los detalles de la fuga del conde como si ellos dos también tuvieran que escapar de la cárcel, y les pregunté si les molestaría que me quedara a ver el final sólo para hacer tiempo, porque tenía miedo de que esa mujer siguiera esperándome al volver a casa, y miré la televisión —un pequeño aparato portátil rodeado de latas de conserva por todos los lados— sin prestar atención a lo que sucedía, porque el destino de Edmundo había perdido de golpe cualquier dosis de importancia, y cuando me despedí, entre dos anuncios, sentí que era otra persona la que decía adiós, muchas gracias.

Al volver a casa, Piedad me echó una bronca por el retraso, ya sabes que me preocupo mucho si tardas, dijo, y yo no contesté nada, porque si abría la boca iba a ponerme a llorar. Lloré después, de todas formas, me encerré en el baño para llorar pero ni siquiera así se me pasó el susto, y aquella noche soñé con la voz de esa mujer, ¿tú sabes que tu madre es una puta, niña?, y me levanté todavía más asustada, masticando la rabia y la vergüenza, quemándome por dentro, y odié sobre todas las cosas a aquella vieja mala, tan cruel y miserable, pero no dije nada, a nadie, ni una palabra. Presentía que hablar sólo serviría para empeorar las cosas.

Desde el primer momento, desde que ella me deseó esa soledad que me ha acompañado durante tanto tiempo, intuí a mi pesar que estaba acertando al equivocarse y que me estaba hablando de Piedad, no de mi madre. No conocía a la suegra de aquel amigo de la familia al que llamábamos tío Armando, pero sí a su mujer, que no consentía que la llamáramos tía María Teresa, y que a la fuerza tenía que ser hija de una señora como mis abuelas, elegante, bien educada, incapaz de abordar a una niña por la calle, pero ni siquiera ese detalle habría sido suficiente si yo no me hubiera levantado de la cama aquella noche de sábado que recordaba ya como lejanísima, porque cinco o seis años ocupaban todavía un espacio inmenso en la brevedad de mi memoria. Estaba harta de fiebre y de escozor, decidida a plantarle cara a la varicela, y me levanté para ir al baño sólo por hacer algo, escapar de las sábanas, dar dos pasos seguidos, entonces escuché el eco de una risa característica de mi madre, una carcajada tenue, breve, crujiente, que parecía ensayada, y me acerqué al salón para echar un vistazo, y les espié en silencio durante mucho tiempo, sin que ninguno de los dos me viera, ella sentada hacia dentro en el brazo del sillón que él ocupaba, ambos con un vaso lleno de whisky en la mano, ambos moviéndolo al mismo tiempo, el eco acompasado de los cubos de hielo que chocaban entre sí y una conversación susurrada que parecía el diálogo de una obra de teatro, y la mano de Armando reposaba sobre un muslo de mi madre, y ella se inclinaba de vez en cuando y le besaba en la boca con delicadeza, y sólo entonces la presión de los dedos de su amante se intensificaba, pero incluso en esos instantes daba la sensación de que no se estaban tomando aquello muy en serio... Cuando encendieron el tocadiscos me desperté, porque me había quedado dormida de pie, contra la pared, sin darme cuenta, y pude volver a la cama en secreto. Ellos bailaban con los ojos cerrados.

Mientras acumulaba débiles, voluntariosos argumentos para intentar contrarrestar la liviandad de aquella escena, repitiéndome a cada paso que tenía que ser ella, y no Piedad, la inspiradora de un odio semejante, no reparé siquiera en la indiferencia con la que contemplaba el destino de mi propia madre, tan estremecedoramente ajena a la esencia de mi vida como la ropa que me ponía por las mañanas. Ella solía decir que los niños nunca son crueles, sino sinceros, igual que el sol, y en lo que a mí respecta, al menos, tenía razón. Yo no le deseaba ningún mal, pero tampoco ningún bien especial, porque no la necesitaba para nada, y si su muerte hubiera sido necesaria para hacer feliz a Piedad, habría firmado la sentencia sin dudar. En aquella época, no podía comprender que era en el exacto centro de mi amor donde nacía la causa del odio ajeno, porque la pasión escoge cuidadosamente a sus víctimas, y sólo confiere poder a quien antes ha sido capaz de negarse a sí mismo para entregarse al otro por completo. Piedad había vivido para mí hasta arrastrarme para siempre a los dominios de su amor, y estaba a punto de arrastrar a Eugenio, porque sabía romperse, y se rompía de verdad cada vez que él la tocaba. Su sinceridad, su debilidad, la hacían tremendamente peligrosa. Mi madre, a su lado, era una inofensiva actriz de reparto perpetrando un papel que le venía grande en una amable comedia de enredo. Su astucia era incapaz de conmover a nadie, porque existen los buenos amores, y los amores malos, y los dos son hondos, pero unos con otros apenas alcanzan un porcentaje insignificante del amor que circula por el mundo, feudo indiscutible de los amores tontos y convenientes a los que aspiran la mayoría de sus habitantes, quizá porque no hay nada que temer en ellos.

No dispuse de mucho tiempo para pensar en todo esto, sin embargo, porque la situación estalló muy pronto, apenas dos meses después del ataque de aquella mujer, con la que me tropecé por segunda y última vez en el recibidor de mi propia casa, al volver del colegio, cuando Piedad ya se había marchado con Eugenio para no volver jamás.

—Así que ésta es su hija pequeña... —dijo, acercando una mano a mi cabeza.

Esquivé su caricia a tiempo con un gesto imprevisto, grosero, un torpe paso de baile, casi un salto, y encaré a mi madre, que jugueteaba nerviosamente con el picaporte como hacía siempre que una visita se prolongaba más allá de sus cálculos.

—¿Dónde está Piedad?

La mujer de Eugenio, una chica joven y muy gorda a la que había visto por el pueblo alguna vez, dejó escapar un sollozo y murmuró algo que no llegué a escuchar. Mi madre, en cambio, elevó la voz para mentir.

—Piedad ya no trabaja aquí —y detecté un rencor

232

absurdo en sus palabras—. La he despedido esta mañana.

Corrí por el pasillo hasta la habitación que compartíamos, diciéndome que era imprescindible actuar deprisa, y registré el armario, la mesilla, la estantería de la que habían desaparecido todas sus cosas, levanté el colchón, abrí los cajones, me tiré en el suelo para mirar debajo de las camas, y aunque no sabía lo que estaba buscando, no encontré ya ninguna cosa que hubiera sido suya. Nada, excepto yo misma.

3

Veinticinco años después, el espejo del cuarto de baño me devolvía la huella familiar de dos diminutas llagas, las pequeñísimas cicatrices que vivirán para siempre sobre mi pómulo izquierdo, mientras miraba hacia dentro, repasando, uno por uno, los contornos de una herida que tampoco se cerrará jamás, como no se borran las marcas de la varicela. Desde que perdí a Piedad, la vida no había vuelto a concederme la atención precisa para ponerme a prueba, por eso me conocía muy bien, tanto por dentro como por fuera, y sin embargo, permanecí ante el espejo durante mucho tiempo, contemplando mi rostro con una extraña atención, como si ya entonces pudiera presentir el inminente desafío de un destino tan parco, tan manso, que nunca antes se había sentado frente a mí para invitarme a echar un pulso. Pero no era así. Cuando advertí que mis pies estaban perdiendo sensibilidad en el charco de agua helada y miré el reloj, y me asusté de lo tarde que era, volví al presente de golpe, poniéndome en marcha con una energía de la que no creía disponer, y quien fregó el suelo, y vació la bañera, y ordenó las toallas, y se puso el pijama, y emprendió el recorrido de todas las noches para asegurarse de que los candados estaban echados, las luces apagadas, y la llave de paso del gas bien cerrada, era todavía la misma Berta, la mujer de antes, tremendamente fuerte, tremendamente buena, y generosa, y responsable, y seria, y eficaz, la buena hija.

Después, dando vueltas y vueltas entre las sábanas, incapaz de dormir pero presa a la vez de una especie de insomnio productivo, necesario, muy distinto del ansia desesperada de sueño de otras noches, ordené los episodios de mi vida desde un punto de partida diferente, aquella mañana de domingo, imposible ya precisar la fecha, recordar si hacía frío o calor, reconstruir la escena exacta, los personajes, sus ropas, los colores, pero era domingo, aproximadamente treinta años antes, y yo me había levantado muy temprano para ir con Piedad a comprar los churros del desayuno, y ella había salido de casa con dos monederos distintos, como todas las semanas, y también como siempre, después de esperar turno, había pedido medio redondel de porras y dos docenas de churros por un lado, y aparte, tres porras más, y había pagado el paquete grande con un monedero, dinero de mis padres, y el paquete pequeño con otro, su propio dinero, y nos habíamos comido las tres porras sueltas por el camino, yo dos, ella solamente una, siempre lo mismo, y entonces sospeché que Piedad quizá fuera mi madre, y yo su hija verdadera, porque era ella quien pagaba las porras que mejor me sabían, la corteza dorada, caliente, que parecía deshacerse al contacto con mis labios para crujir después en cada mordisco, tan distinta de la pasta ya fría, y como desinflada, que desayunaban los demás en la mesa del comedor media hora más tarde, y del mismo monedero salían los pequeños regalos de todos los días, chicles, cromos, tebeos, caramelos Saci, o esas barras retorcidas de regaliz colorado que me gustaban tanto, ni mis padres ni mis hermanas habrían sabido decir cuáles eran mis golosinas favoritas, pero Piedad lo sabía y me las compraba con su dinero, y en algunos cuentos que me había contado pasaban cosas así, los amos, que eran ricos pero ya viejos, criaban como si fuera propio a algún hijo de unos pastores muy pobres que luego se arrepentían, o no, pero siempre se las arreglaban para ocuparse del niño aunque fuera a distancia, y tal vez mi caso no era muy distinto... Cuando mi madre entró en el comedor, me acerqué a ella y la saludé con solemnidad, buenos días, doña Carmen, dije, y todos se rieron.

Si no hubiera recuperado ese recuerdo concreto, un detalle tan aparentemente trivial, hasta nimio, en relación con el curso completo de mi existencia, en el preciso instante en que la última gota consiguió por fin desbordar el vaso, quizá mi vida no habría llegado a cambiar en nada, pero mi mente de adulta, gobernada por la lógica implacable, casi viciosa, de una matemática en paro forzoso, ya no podía detenerse, y las ideas se conectaban a una velocidad que yo siempre había supuesto malsana para razonar

236

correctamente, y sin embargo cada conclusión se erigía en una irreprochable premisa para nuevas conexiones, y no podía desterrar la intuición de que si me hubiera sido posible expresar mi pasado en cifras, todos los resultados serían ahora justos, exactos, coherentes entre sí. Nunca antes me había parado a pensar que mi pasión por las bañeras grandes, ese inocente reflejo de una infancia articulada en miles de atardeceres marcados por la incomodidad de los lavados por piezas —primero sentada en una especie de banco que ocupaba casi la mitad de la cubeta, empezar con una pierna, luego la otra, después de pie, dejar que Piedad me enjabonara el cuerpo y me aclarara a continuación de mala manera, impulsando hacia arriba, con la mano, el agua que apenas bordeaba la frontera de mis rodillas—, pudiera leerse en una dirección estrictamente opuesta a la que determinaba mi memoria. Esa sorpresa se convirtió en la salida de una carrera cuya meta alcancé al tomar una decisión descabellada de la que no me he arrepentido todavía.

Seguí llamando a mi madre doña Carmen durante mucho tiempo, un par de meses, quizá tres, y las sonrisas sucedieron a las carcajadas, y la indiferencia a todo lo demás, hasta que me cansé sin cosechar un solo reproche, ninguna pregunta, ningún comentario, y un buen día se me olvidó seguir, y tampoco registré señal alguna que celebrara mi vuelta a la normalidad, tal vez porque ningún miembro de mi familia llegó a ser consciente de que yo hubiera pretendido abandonarla.

Ese recuerdo se hinchaba en mi cabeza como una masa saturada de levadura, progresando imparablemente desde la sospecha hacia la certeza para crecer todavía más, hasta desbordar los límites de cualquier molde y de mi propia vida, donde cada detalle cobraba un nuevo sentido. Sólo ahora me daba cuenta de que la marcha de Piedad había logrado que todas las cosas cambiaran sin que ninguna de ellas hubiera cambiado en realidad, porque su ausencia, que abarcaba por completo el pequeño mundo de mi infancia, no había sido reemplazada por presencia alguna, y yo había seguido creciendo, había seguido viviendo, y estaba a punto de empezar a envejecer, bajo el signo de esa ausencia que tal vez era la responsable de que mi mundo de adulta nunca hubiera sido mucho mayor —y quizá menor— que el territorio donde sucedió mi niñez.

Luego, cuando sonó el despertador, salté de la cama con una energía sorprendente en alguien que regresa de una noche en blanco, y representé la ficción de una mañana como las demás sin saltarme ninguna etapa, apenas algún cigarro de más después del desayuno, pero mientras se acercaba la hora habitual de despertar a la enferma, sentí cómo las hormigas que se paseaban por mi estómago se reproducían frenéticamente para colonizar hasta la más remota de mis vísceras, y subí las escaleras muy despacio, como si cada peldaño, al contacto con mis pies, se convirtiera en un fragmento de una cuesta infinita, empinada y arisca, todos aquellos años, la desgarradora sensación de orfandad que me rompió por la mitad cuando tenía trece, la certeza de la soledad absoluta que me acompaña desde los catorce, y una triste victoria, un cuarto de baño para mí sola, una gigantesca bañera plantada en el desierto como el más insensato monumento. Al llegar al descansillo, me acerqué a la butaca que yo misma había transportado hasta allí años atrás para que mi madre descansara, cuando todavía quería atreverse a andar, y me senté en ella como si ahora fuera yo la inválida, y el tramo restante, una proeza superior a mis fuerzas. Pretendía meditar unos minutos más, repasar mi plan punto por punto, asegurarme de que no querría volver sobre mis pasos cuando ya no hubiera tiempo, ni margen para anular la decisión que estaba a punto de tomar, pero mientras todavía me creía capaz de encontrar en mi interior algunas gotas de esa pusilanimidad que a veces se confunde con la compasión, escuché un timbrazo, dos timbrazos, tres timbrazos seguidos.

Mientras afrontaba el último obstáculo, apenas catorce escalones para el fin del mundo, era ya incapaz de explicarme mi mansedumbre, la docilidad con la que había aceptado, tantos años antes, la dictadura del timbre que gobernaba mi vida, y recordaba bien las diversas etapas del proceso, el derrame cerebral que fulminó a mi padre cuando yo todavía no había acabado el bachillerato, la trombosis que convirtió a mi madre en una inválida dos años antes de que lograra licenciarme en Ciencias Exactas, la naturalidad con la que mis hermanos asumieron que yo me ocuparía de cuidarla hasta el día de su muerte, la rapidez y la serenidad con las que acepté una misión cuya esencia se confundía con la de mi propio destino, y aquella frase hecha con la que me premiarían tantas veces, ¡qué buena eres, Berta!, todo eso lo recordaba, pero ya no lo comprendía y no podía disculparlo, no podía seguir encubriendo la tiranía de mi madre con la debilidad de la enferma, todos sus esfuerzos por arrancarme del mundo, por tenerme entera para ella sola, los dolores fingidos, chillidos, pesadillas y tantas lágrimas, hasta que se agotó la paciencia del último de mis amigos, y Marcos se fue, y no tuve valor para ir tras él. ¡Qué suerte has tenido, hija!, dijo ella, un maestro de escuela... ¡menudo partido!, y tendría que haber gritado, tendría que haberla amenazado, haberla pegado, pero no dije nada, ¡qué buena eres, Berta!, y él fue el único que se dio cuenta de la verdad, el único que anticipó este final para ofrecerme a cambio un desenlace nuevo, una vida dulce, días fabricados con amor y matemáticas, y yo le quería, le quería tanto que sonreía sola al dormirme, cada noche, pero no tuve valor para marcharme con él, y mi madre dejó de escupir en pañuelos sucios, y nunca volvió a mearse en las butacas del salón, la sopa ya no se le derramaba por las comisuras de los labios, los mocos ya no le colgaban de la nariz sin que se diera cuenta, me había arrebatado a Marcos, se había quedado tranquila, y recuperó de golpe el control y la cordura mientras yo empezaba a odiarla, pero el odio no era un motor suficiente para mover mis piernas, y Dios sabe que deseaba su muerte, pero ni siquiera ese deseo podía apartarme de su lado...

Cuatro, cinco, seis timbrazos se acompasaron a la lentitud de mis pasos como la más torpe música de danza, pero no corrí, me había prometido que no volvería a correr, y escuché sin apresurarme el séptimo aviso, y el octavo, mientras recordaba cuántas cosas se habían congelado antes que mi voluntad, la fe y el futuro, la alegría, la edad, toda esperanza, el amor y hasta las matemáticas. Yo amaba las matemáticas, y como cualquier converso a una fe rara, árida, sospechosa incluso por el reducido número de sus adeptos, experimentaba un placer extraordinario al reclutar nuevos fieles para mi templo de lógica y cifras, por eso me gustaba tanto enseñar, y en mi pequeña vida de enfermera perpetua no existía una emoción comparable al asombro que brillaba en los ojos de un crío cuando una luz desconocida se derramaba en su mente y me anunciaba, gritando casi, que de pronto había entendido el mecanismo de las operaciones con decimales, esas comas que a principio de curso ninguno era capaz de colocar en su sitio. Me gustaba enseñar, y preparar las clases, encontrar la manera más fácil de explicar lo más difícil, inventar yo misma los ejercicios que propondría cada mañana, y nunca utilicé un libro de texto, nunca seguí los programas diseñados por el Ministerio, utilizaba mis propios métodos y procuraba no mandar a los niños con deberes a casa, pero mi clase era, invariablemente, la mejor preparada de todo el curso, a pesar de que cargaba con todos los repetidores, con todos los tarugos, con los peores estudiantes del colegio, y a todos les sacaba partido porque ninguno era capaz de agotar mi paciencia, y los niños me querían, me sonreían, me besaban, venían a verme tres y cuatro años después de haber pasado por mis manos, y a mí también me gustaba verles progresar, verles crecer, contemplarles el último día del último curso, corriendo como locos, las notas en la mano, preguntándose por dentro cómo se las arreglarían con los profesores del instituto.

Las matemáticas eran muy importantes para mí, aunque al principio me dolía saber que en la otra punta de Madrid, en un recinto similar al mío, un aula con pupitres verdes y dibujos en las paredes, a través de cuya ventana se divisaría quizás un patio soleado, con una canasta de baloncesto como la que yo contemplaba, Marcos estaría dando clase a niños muy parecidos a los que me miraban sin reprimir algún bostezo, pero eso fue sólo al principio, cuando fantaseaba con la idea de que algún día viniera a buscarme, cuando planeaba minuciosamente el día y la hora en la que iría a buscarle yo, y escogía un color, un vestido, un peinado determinado, y ensayaba para mis adentros, hola Marcos, lo diría con una voz un poco ronca, voz de insomne, de mujer de mundo, nunca he podido desprenderme de ti, ¿sabes?, y él me miraría como si hiciera meses, años, que estaba esperando esas palabras, yo sostendría aquella mirada al repetir, casi al pie de la letra, lo que decía aquella rima que Eugenio había copiado de un almanaque cuando era niña, y hablaría con frases más torpes, más pobres, pero él comprendería, porque los matemáticos no hablamos en verso... Por supuesto, nunca fui a buscar a Marcos, Marcos nunca vino a buscarme a mí, la pasión escoge cuidadosamente a sus víctimas, y yo no la merecía. A los dieciséis años recibí una postal de Eugenio, desde Barcelona. Había encontrado trabajo en la Seat, y Piedad, que iba a tener un niño, me mandaba muchos besos, pero no firmaba porque todavía no había aprendido a escribir. Cuando recordaba aquella postal, la última noticia que tuve de ellos, me armaba de valor y me resquebrajaba de miedo al mismo tiempo, y nunca me atrevería a dejar sola a mi madre, nunca fui en busca de Marcos, pero amaba las matemáticas, y hasta eso perdí.

Estaba a punto de cumplir treinta años cuando nos vinimos a vivir a Torrelodones porque mi madre decidió que el campo sería mucho más compasivo con su salud que esa horrenda ciudad que la estaba matando. Me resistí con todas mis fuerzas a aquel traslado, argumentando en vano, durante semanas enteras, que ni sus fuerzas habían menguado tanto como pretendía, ni el ruido o la contaminación podían afectarla, teniendo en cuenta que jamás salía de casa, un quinto piso en una de las calles más tranquilas del centro. También hablé de mí, de los problemas que me acarrearía marcharme al campo, conseguir una plaza en el colegio de algún pueblo cercano, vivir sola con una anciana enferma en una casa aislada, dentro de una urbanización que permanecía casi desierta durante la mayor parte del año, y estar obligada a coger el coche para todo, lo repetí una y mil veces, que abandonar la ciudad sería un desastre, pero nadie me escuchó, mi madre empezó a quejarse a todas horas, se pasaba la noche en vela, decía que la despertaba el ascensor, y dejó de comer, mis hermanos me preguntaban cómo podía ser tan cruel, repetían que yo no tenía ninguna necesidad de trabajar, me rogaban que dejara de inventarme falsas excusas, y entonces dejé de luchar, pero me marché de Madrid con lágrimas en los ojos, un llanto mixto de pena y de rabia, el último asomo de vida del que podría disponer en muchos años.

Cuando abrí la puerta de su habitación, ya no podía creer que ésa hubiera sido mi vida alguna vez, porque ya no quedaba en mí rastro alguno de la buena Berta. La miré con extrañeza, incorporada en la cama, apretando el timbre con una saña impropia de una anciana enferma, y casi podía escuchar el chirrido de sus dientes, pero avancé despacio, llegué a su lado, y esperé a que se hiciera el silencio. Entonces la saludé con voz clara, firme.

—Buenos días, doña Carmen.

Busqué inmediatamente sus ojos, y no encontré en ellos dolor, ni siquiera rechazo, apenas una sombra de desconcierto, una sorpresa sagazmente controlada, y por un instante deseé con todas mis fuerzas estar equivocada, pero esperé en vano una caricia, una protesta, una simple pregunta, e insistí sólo para asegurarme de que me escuchaba, ¿qué tal, doña Carmen, cómo se encuentra hoy?, y deseaba estar equivocada, haber multiplicado por un número demasiado grande, haber restado de más, pero no quiso corregirme, se limitó a mirarme de través, con un recelo que se transformaría muy deprisa en miedo auténtico, y entonces me estremecí al comprender que era ella quien estaba en mis manos, ella quien dependía de mí desde hacía tanto tiempo, aunque las dos lleváramos media vida fingiendo lo contrario, y me pregunté cuándo habría empezado a temer que se iniciaran los acontecimientos que ahora iban a precipitarse sin remedio, y ningún propósito me parecía más duro que aprender a vivir el resto de mi vida sabiendo que había sacrificado tantos años para nada, por eso deseaba estar equivocada, y necesitaba que me hablara, que me tocara, que me reconociera, que me confirmara que todas mis sospechas eran un disparate, que jamás había renunciado a ser mi madre, que jamás me había mirado con ojos distintos de los que dirigía al resto de sus hijos, que jamás había sido consciente de abandonarme en los brazos de otra mujer.

Hasta el último momento tuve esperanzas, porque al fin y al cabo habíamos vivido en la misma casa muchos años, nunca juntas, pero sí una al lado de la otra, y ella había sabido ser la madre de los otros, de Cristina, que la cubría de besos de arriba abajo una vez al mes, cuando venía a verla, de Cecilia, a la que había cedido el piso de Conde de Xiquena que tanto deseaba, el antojo tras el que yo siempre había vislumbrado la auténtica causa de nuestro traslado al campo, de Alfonso, el destinatario de las transferencias que yo cursaba religiosamente cada tres semanas, para que después de pagar las pensiones resultantes de sus dos divorcios consecutivos, consiguiera llegar con desahogo a fin de mes. Aquella mujer era la madre de todos ellos, que apenas se acordaban de llamar por teléfono los domingos, y yo la única que se comportaba como una buena hija, y sin embargo, y a pesar de todo, ella sólo sentía miedo, miedo a quedarse sola, miedo a ser traicionada, abandonada por su enfermera, por su doncella, por la hija tonta que había tenido la suerte de parir a destiempo, la hija extraña que se había atrevido a quererse a sí misma hija de una criada sin intuir siquiera que era exactamente así como siempre la habían visto los demás, la hija mansa que todavía se resistía a creer que su madre pudiera dirigirse a ella en un tono tan duro, tan seco, tan ajeno, para envolver su pánico en una última orden, precisamente ahora que sus órdenes habían perdido cualquier valor.

—Abre la ventana, Berta. Me estoy ahogando.

Seguí haciendo las cosas despacio para convencerme de que las hacía bien, aunque la prisa me roía por dentro. Entrevisté a más de una docena de enfermeras antes de contratar a la que me pareció más idónea para sustituirme, y nos alternamos durante un par de meses, mientras yo alquilaba un piso en Madrid, y transfería todos mis ahorros —los sueldos prácticamente íntegros de los cinco años que había resistido trabajando en un colegio privado de Las Rozas, antes de abandonar del todo— a una nueva cuenta, en una sucursal de la ciudad. Arreglé todos los papeles necesarios para pedir el final de mi excedencia y optar a mi antigua plaza, y empecé a estudiar por las noches porque me di cuenta de que había perdido forma. Deseché docenas de borradores antes de redactar el texto definitivo de la carta que envié a mis hermanos, tres copias idénticas, mecanografiadas a dos espacios, mi nombre y dos apellidos en letras de molde bajo la firma, estimado señor/a, motivos familiares —de tal complejidad, que su descripción rebasaría con mucho el reducido formato de un escrito de esta naturaleza— me impiden seguir haciéndome cargo de su señora madre por más tiempo...

Tiré a la basura mi colección de olores prisioneros en tarros de cristal antes de hacer el equipaje con mucho cuidado, pero cuando el coche ya estaba cargado, y el motor en marcha, me asaltó la tentación de recorrer la casa por última vez, y registré los armarios, la mesilla, los cajones, las estanterías donde ya no vivía ninguno de mis libros, y hasta me tiré al suelo y miré debajo de la cama, para asegurarme de que, al cerrar la puerta, no dejaría allí ninguna cosa que me hubiera pertenecido antes. Nada.

MAXI
TUSQUETS
EDITORES